LE GRAND LIVRE DE
Bébé végé

Publié chez Guy Saint-Jean Éditeur :

Le grand livre de Bébé bouffe, Annabel Karmel

Le gourmet au jardin, Anne Gardon

Le grand livre des fleurs comestibles, Jekka McVicar

*La passion des herbes : aromatiques, culinaires, médicinales,
cosmétiques et comment les cultiver*, Jekka McVicar

*Le fromage, une passion : plus de 130 façons innovatrices
de cuisiner avec le fromage*, Paul Gayler

*Mozzarella : des recettes innovatrices à la mozzarella de bufflonne
proposées par des chefs réputés*, Collectif

*Champignons : des recettes innovatrices aux champignons
proposées par des chefs réputés*, Collectif

*Huile d'olive : des recettes innovatrices à l'huile d'olive
proposées par des chefs réputés*, Collectif

Quelles pasta, quelle sauce?, Valentina Harris

La cuisine d'Aphrodite, Michel Chevrier

*L'ABC du vin : Tout ce que vous devez vraiment
savoir sur le vin*, Oz Clarke

Bien manger une affaire de cœur : des recettes délicieuses pour tous les jours,
Becel, bureau d'information sur la santé cardiaque

LE GRAND LIVRE DE
Bébé végé

Plus de 150 recettes faciles, rapides et nutritives
pour les bébés et les enfants

CAROL TIMPERLEY

Illustrations de STEPHEN MAY

Traduit de l'anglais par MADELEINE HÉBERT

Guy Saint-Jean
ÉDITEUR

Données de catalogage avant publication (Canada): disponibles à la Bibliothèque nationale du Québec

Publié originalement en 1997 par Ebury Press, une marque de Random House UK Ltd.
Texte: © Carol Timperley 1997   Illustrations: © Stephen May 1997

© pour l'édition en langue anglaise ayant servi à cette traduction
Eddison Sadd Editions 1997
(publié sous le titre: *Baby & Child Vegetarian Recipes*)
Coordination: Vivienne Wells
Correction d'épreuve: Nikky Twyman
Index: Dorothy Frame
Direction artistique: Elaine Partington et Pritty Ramjee
Illustrations: Stephen May
Production: Hazel Kirkman et Katrina Macnab

© pour l'édition en langue française
Guy Saint-Jean Éditeur Inc. 2001
Traduction: Madeleine Hébert
Révision: Andrée Laprise
Infographie: Christiane Séguin

Dépôt légal 3e trimestre 2001
Bibliothèques nationales du Québec et du Canada
ISBN 2-89455-113-4

Nous reconnaissons l'aide financière du gouvernement du Canada par l'entremise du Programme
d'Aide au Développement de l'Industrie de l'Édition (PADIÉ) ainsi que celle de la SODEC pour nos activités d'édition.

Gouvernement du Québec – Programme de crédit d'impôt pour l'édition de livres – Gestion SODEC.

DISTRIBUTION ET DIFFUSION
AMÉRIQUE: Prologue   FRANCE: E.D.I./Sodis   BELGIQUE: Diffusion Vander S.A.   SUISSE: Transat S.A.

GUY SAINT-JEAN ÉDITEUR INC., 3172, boul. Industriel, Laval (Québec) Canada. H7L 4P7. (450) 663-1777.
GUY SAINT-JEAN ÉDITEUR FRANCE, 48, rue des Ponts, 78290 Croissy-sur-Seine, France. (1) 39.76.99.43.

Un livre de Eddison Sadd
Conçu et produit par Eddison Sadd Editions Limited, St. Chad's Court, 146B King's Cross Road, London WC1X 9DH

Imprimé et relié en Grande-Bretagne

TABLE DES MATIÈRES

INTRODUCTION

À la naissance de mon fils, j'ai reçu à l'hôpital la visite d'une amie résolument cynique et sans enfant. Elle a jeté un regard dédaigneux à mon poupon que, comme toutes les mères, je croyais être absolument parfait, a pris un verre de champagne et lancé ce commentaire : «Sais-tu qu'à partir de maintenant, tu vivras sous le régime de la culpabilité et de l'inquiétude ?» Dans mon euphorie du moment, j'ai bien sûr ignoré des paroles aussi pessimistes. Mais quatre ans plus tard, elles ont acquis une valeur prophétique. Le désir de donner le meilleur à nos enfants, combiné à un bombardement de conseils bien intentionnés, peut parfois faire douter certains d'entre nous de nos aptitudes parentales. Surtout en ce qui concerne l'alimentation de nos petits. Mon but est donc d'offrir aux parents un guide pratique et rassurant de l'alimentation végétarienne, pour écarter leurs incertitudes sur le régime végétarien et leur donner confiance en la qualité de l'alimentation de leurs enfants.

Même si on sait depuis longtemps que l'on est ce que l'on mange, les scientifiques suggèrent maintenant que les maladies qui surviennent à l'âge mûr seraient le résultat d'une alimentation déficiente pendant l'enfance. Des recherches en Amérique du Nord ont montré que certains enfants, dès onze ans, ont des taux de cholestérol élevés et des artères partiellement bloquées. Ce sont de petites bombes à retardement qui auront éventuellement des conséquences désastreuses sur leur santé. Il est donc vital de donner un bon départ à nos petits grâce à une excellente nutrition.

Je suis convaincue que le régime végétarien est ce qu'il y a de mieux pour un enfant. Vos raisons personnelles de suivre une alimentation végétarienne peuvent relever de considérations écologiques, de préférences personnelles ou autres. Mais du point de vue des enfants, les statistiques sont tout à fait éloquentes. Les recherches ont montré que, par rapport aux carnivores, les végétariens souffrent de 30 p. cent de moins de maladies cardiaques et de 40 p. cent de moins de cancers et ont 20 p. cent moins tendance à mourir prématurément. Les végétariens sont aussi moins touchés par les problèmes reliés aux habitudes alimentaires : hypertension, hémorroïdes, empoisonnements alimentaires, embonpoint et obésité.

Alors que de plus en plus d'adultes adoptent un régime végétarien avec l'accord de leur médecin, il existe peu d'information et de soutien pour les parents qui désirent élever des enfants végétariens. En fait, un des livres scientifiques que j'ai consultés pour préparer le présent ouvrage classe le végétarisme avec l'alimentation macrobiotique zen dans la catégorie «Anormalités diététiques» ! De tels préjudices se retrouvent souvent dans la communauté médicale. Le père de mon fils est un cardiologue et j'ai vu certains de ses collègues plus déroutés par la perspective d'un dîner végétarien que par celle d'un pontage coronarien multiple. Cette situation est exacerbée par les «végétariens évangéliques» dont la doctrine puriste exige une recherche difficile d'ingrédients spéciaux et énormément de stress. J'espère que les conseils offerts dans ce livre se situent quelque part entre ces deux extrêmes. Ils s'adressent aux végétariens qui consomment du lait et des produits laitiers, avec ou sans œufs. (Les parents végétaliens, quant à eux, devront aussi consulter d'autres sources.)

Il existe un mythe très répandu et perpétué par ceux qui considèrent le régime végétarien comme une hérésie, selon lequel les repas sans viande demandent beaucoup de temps, sont compliqués à préparer et ne constituent pas une alimentation adéquate. Comme le savent bien tous les végétariens, cette idée est totalement fausse. Quoi de plus simple et de plus nutritif en effet qu'un sandwich au fromage avec crudités ou un pain pita avec carotte et hoummos? En outre, les bébés végétariens sont souvent plus robustes, plus vifs et plus résistants que leurs pairs qui mangent de la viande.

Je suis une mère qui travaille et je comprends bien les contraintes et les pressions qui s'exercent sur les parents qui doivent s'occuper à la fois de leur famille et de leur carrière. C'est pourquoi vous ne trouverez pas dans cet ouvrage de recettes requérant le trempage des lentilles ou toute autre longue préparation. Et je ne suis pas contre l'utilisation occasionnelle d'un bocal de purée de légumes ou d'un morceau de chocolat. Pour la nutrition des enfants, c'est la perspective globale, et non la vision à court terme, qui compte. Mais lorsque le temps me manque, je préfère que mon fils mange une banane et un yogourt ou une tartine de beurre d'arachide au lieu des repas pré-parés offerts dans les restaurants-minute.

Si vous décidez d'élever votre enfant dans un environnement végétarien pour des raisons d'éthique plutôt que de santé, on vous blâmera peut-être de vouloir lui imposer égoïstement vos idéaux. Comme si la nourriture était le seul domaine où les parents font des choix pour leurs enfants! De toute manière, la plupart des petits ont tendance à préférer une alimentation végétarienne. Après tout, la viande est une substance fibreuse difficile à mâcher, et les enfants doivent faire de gros efforts pour s'y habituer. Je me rappelle qu'un jour mon fils a été invité pour un repas chez son petit ami: on lui a servi des pâtes avec une sauce contenant du poulet. Lorsque je suis allée le prendre, il m'a confié qu'il avait méticuleusement enlevé tous les morceaux de poulet avant de manger.

Les tableaux de menu à la fin des chapitres ne sont que des suggestions pour combiner recettes et aliments de base afin de fournir à votre enfant un régime équilibré. Si vous lui offrez une grande variété d'aliments frais (crus et cuits) et observez le principe général d'inclure très peu de sucre et de sel, vous ne pouvez pas vous tromper. Rappelez-vous surtout que, même si on mange d'abord pour survivre, un régime alimentaire sain d'aliments frais préparés simplement est un moyen très spécial de solidifier nos liens avec notre famille, nos amis et notre milieu. De plus, l'appréciation des plaisirs de la table est un don très précieux à léguer à nos enfants.

● ●

CHAPITRE UN

Du lait aux aliments solides

Il me semble que les bébés sont les preuves vivantes à la fois de la théorie du chaos et de celle du mouvement perpétuel. Cela se retrouve dans les habitudes alimentaires de votre petit et dans tous les autres aspects de son développement. Par exemple, quand vous avez enfin maîtrisé la question du lait (quand, combien, l'art des rots), il décide que c'est le moment de passer à l'étape suivante. Puis dès que vous avez la certitude que les purées de bananes lui plaisent à tout coup, il commence à refuser obstinément tout ce qui en contient! On dirait que votre enfant possède un instinct infaillible pour détecter l'instant précis où vous vous sentez pleinement en confiance: il se met alors à ruer dans les brancards pour vous empêcher de vous reposer sur vos lauriers. Et plus sa mère et son père s'énervent, plus le tout-petit semble apprécier. En ce qui concerne l'alimentation des tout- petits, la règle d'or est donc de garder son calme quoi qu'il arrive.

Pendant au moins les six premiers mois de la vie de votre enfant, sa principale nourriture est le lait, qui contient les nutriments nécessaires à une bonne croissance : protéines, vitamines, sels minéraux, lipides (graisses). Les experts affirment que le lait maternel est le meilleur pour plusieurs raisons, entre autres parce qu'il s'adapte au besoin de l'évolution de votre bébé et renferme des anticorps et des agents antibactériens augmentant sa résistance aux maladies. Le rôle important que joue dès le début le régime alimentaire dans le développement de l'enfant a été souligné par des études américaines qui suggèrent que les enfants ayant été allaités, même pour seulement quelques semaines, obtiennent de meilleurs résultats scolaires que ceux qui n'ont été nourris qu'au biberon.

L'allaitement offre plusieurs avantages : il ne coûte rien, est facilement disponible et fournit sur-le-champ du lait à la bonne température. Pour les mères qui allaitent, il est important de surveiller leur alimentation et de manger suffisamment d'aliments riches en vitamines et en calcium (voir les listes en pages suivantes) et de boire beaucoup d'eau. Mais même les bébés allaités doivent commencer à boire aussi du lait au biberon durant leur première année, au moins partiellement. Certains bébés allaités refusent systématiquement le biberon (peu importe qui le leur donne et quand) et sont alarmés et affamés s'ils ne peuvent téter au sein. Les autres l'acceptent facilement, et certains le préfèrent même à l'allaitement. Quand vous décidez d'ajouter des boires au biberon, choisissez toujours un lait maternisé : il est mieux adapté aux besoins nutritifs de votre

bébé que le lait de vache. Lisez aussi attentivement l'emballage (certains laits contiennent des graisses animales inacceptables pour les végétariens stricts : demandez conseil à votre pédiatre ou infirmière). Suivez bien les indications pour la préparation du lait maternisé, car une mauvaise quantité de produit peut être dangereuse. Utilisez de l'eau du robinet fraîchement bouillie et non de l'eau en bouteille, qui peut contenir de dangereux dépôts de sels minéraux.

À un an, votre enfant peut boire du lait de vache entier. Le lait de vache pour la cuisson est acceptable à partir de l'âge de six mois environ, tout comme les autres produits laitiers (fromage, yogourt, fromage frais). Il y a toutefois des avantages à continuer d'utiliser les laits maternels ou maternisés dans la cuisson même après six mois, car ils fournissent des nutriments qui ne sont pas présents dans le lait de vache.

Tant que vous utilisez les biberons (plusieurs petits aiment bien un biberon au moment du coucher jusqu'à l'âge de trois ans), vous devez les stériliser en raison des risques de présence de bactéries. Bien que ce ne soit pas absolument nécessaire si votre bébé mange bien, il est préférable de lui donner au moins 600 ml de lait par jour pendant ses deux premières années. Pour les enfants végétariens particulièrement, c'est une bonne source de protéines et de vitamine B12.

Une question de substance

Pour plusieurs raisons (voir chapitre deux), il vaut mieux ne pas tenter de sevrer votre bébé trop tôt, et certainement jamais avant l'âge de quatre mois. Entre quatre et six mois, vous introduirez des aliments solides dans son régime parce que, selon les scientifiques, les réserves de fer innées de votre enfant commencent à s'épuiser vers ce moment. Bien sûr, ces premiers aliments offerts pendant le sevrage ne sont pas vraiment «solides», mais ils contrastent quand même beaucoup avec le lait en texture et en goût. De simples céréales de bébé sans blé et des purées de fruits et légumes sont de bons compléments au lait. À ce premier stade, ne vous préoccupez pas trop des valeurs nutritionnelles et caloriques : l'important est de familiariser votre petit avec l'alimentation à la cuiller. Mais à mesure que vous progressez vers le stade suivant du sevrage où les aliments solides constituent un apport plus important à son régime, il vous faudra considérer leurs valeurs nutritives.

Une stratégie d'équilibre

L'expression «régime équilibré» semble inventée pour provoquer des trépidations nerveuses chez les parents qui n'ont pas de diplôme en diététique, puisqu'elle implique la nécessité de calculs compliqués et d'instruments sophistiqués. En fait, il n'est pas très compliqué d'élaborer un régime équilibré. Il suffit simplement de prévoir une variété d'aliments choisis dans chacun des principaux groupes de nutriments : protéines, hydrates de carbone, lipides, vitamines, sels minéraux et eau.

Si vous incluez au moins quelques éléments de chaque catégorie dans l'alimentation quotidienne de votre bébé, le merveilleux ordinateur qu'est son petit corps fera le reste. Pour vous aider dans vos choix, voici plus de détails sur les six groupes alimentaires.

LES PROTÉINES

Les protéines sont essentielles pour la croissance et la régénération du tissu du corps. Plusieurs idées fausses circulent sur la capacité d'un régime végétarien à fournir des quantités adéquates de protéines pendant la croissance d'un enfant. Cette confusion provient du fait que les protéines sont constituées de 20 acides aminés, dont à peu près la moitié peut être fabriquée par le corps et le reste (appelé acides aminés essentiels) doit être fourni par les aliments. Les protéines animales renferment tous les acides aminés essentiels, mais les végétaux contiennent de plus petites quantités de certains d'entre eux et doivent donc être consommés avec d'autres aliments.

Pour les végétariens qui mangent des produits laitiers, cela n'est pas un problème ; quant à ceux qui n'en prennent pas, ils obtiennent des quantités suffisantes d'acides aminés en mangeant une variété d'aliments protéiques. En fait, il est pratiquement impossible de ne pas consommer suffisamment de protéines, si une quantité suffisante de nourriture est ingérée (en fait, la plupart des régimes occidentaux contiennent plus de protéines que nécessaire, ce qui peut fatiguer les reins). Il existe de bonnes sources végétariennes de protéines : lait et produits laitiers (fromage, yogourt), œufs, produits de soja (tofu), noix (voir p. 14), graines, légumineuses (lentilles, haricots de Lima, pois chiches), céréales (blé, orge, riz).

Autrefois, on croyait qu'il fallait équilibrer les protéines végétales pour que la quantité exacte de chaque acide aminé soit incluse dans tous les repas. Mais ce principe des «combinaisons alimentaires» n'est plus d'actualité, puisque l'on sait maintenant que le corps possède une réserve à court terme des acides aminés essentiels. On peut donc en consommer la variété nécessaire au cours de la journée plutôt que dans un même repas. Les végétariens et les végétaliens qui mangent une combinaison de céréales, de légumineuses, de graines, de noix et de légumes obtiennent un apport équilibré d'acides aminés sans aucune planification. Pour les bébés et les enfants végétariens, les laits maternels, maternisés et de vache, les œufs et les produits laitiers (fromage, yogourt, puddings au lait mais pas la crème et le beurre) fournissent des protéines complètes. Des préparations comme un sandwich au fromage ou au beurre d'arachide, du pain pita avec hoummos, des céréales avec lait, du riz avec petits pois, haricots ou lentilles sont des exemples de repas simples contenant un apport correct d'acides aminés.

LES HYDRATES DE CARBONE

Les hydrates de carbone sont indispensables à la croissance et fournissent de l'énergie. Ceux de la catégorie féculents doivent être les nutriments les plus abondants de l'alimentation des adultes et des jeunes enfants.

Toutefois, alors que de grandes quantités d'hydrates de carbone non raffinés (ex. pain, pâtes et céréales de grains entiers, pelures de pommes de terre, légumineuses) sont désirables pour les adultes, on ne devrait les donner aux enfants qu'avec prudence. Évitez autant que possible les sucres raffinés (contenus dans les sucre-

ries, biscuits, gâteaux et courges). Mais n'oubliez pas que les régimes à haute teneur en fibres peuvent entrer en conflit avec les intenses besoins nutritifs des enfants, puisqu'ils leur coupent l'appétit avant qu'ils aient absorbé assez des nutriments nécessaires à une croissance et à un développement sains. Si votre petit mange beaucoup de fruits, ses repas peuvent comprendre du pain et des pâtes qui ne sont pas de grains entiers (cela peut même offrir certains avantages). Pour l'alimentation de votre petit, utilisez de bonnes sources d'hydrates de carbone : fruits, légumes, céréales, pain, pâtes, légumes féculents (pommes de terre, petits pois), légumineuses.

À mesure que les tout-petits grandissent, ils doivent commencer à consommer des aliments de grains entiers (pain, pâtes, riz, céréales) pour éviter la constipation, promouvoir de bonnes habitudes alimentaires et obtenir les vitamines B. Mais il vaut mieux qu'ils ne mangent pas les produits auxquels a été ajouté du son (ex. céréales au son), qui peut causer des problèmes digestifs et empêcher l'absorption de certains sels minéraux.

LES LIPIDES

Malgré leur nouveau statut de nutriments presque tabou, les lipides (ou graisses) fournissent une source d'énergie concentrée et, chez les jeunes enfants, ils sont importants pour un développement sain du cerveau et du système nerveux. En fait, ce sont les graisses saturées (impliquées dans plusieurs maladies dégénératives courantes en Occident) qui ont conféré leur mauvaise réputation à ces nutriments indispensables.

Il y a donc un avantage à être végétarien,

puisque presque toutes les graisses saturées proviennent des produits d'origine animale. Donc si vous réglez soigneusement la quantité de produits laitiers du régime de votre petit et utilisez de bonnes huiles végétales (d'olive par exemple) sans les cuire, vous contribuerez significativement à la bonne santé future de votre enfant. Néanmoins, il est vital de ne pas donner à votre bébé des produits laitiers à faible teneur en gras au moins durant les deux premières années, car ce gras est une bonne source d'énergie et de vitamines liposolubles. Il y a aussi d'autres bonnes sources végétales de graisses : huiles (d'olive, de tournesol, de maïs, de soja), margarine (non hydrogénée), avocats, noix.

Il faut éviter les graisses hydrogénées pour les bébés, enfants, femmes enceintes ou nourrices, car elles contiennent des graisses trans qui peuvent interférer avec l'action des acides gras essentiels indispensables pour le développement d'un cerveau sain. Cela est particulièrement important pour les végétariens, car leur corps fabrique ces nutriments plutôt que de les obtenir des huiles de poisson. Les graisses hydrogénées se trouvent dans certaines margarines et certains produits alimentaires industriels : c'est pourquoi vous devez consulter les emballages avant d'acheter.

LES VITAMINES

Les vitamines sont essentielles à un bon fonctionnement du corps. On croit même maintenant que certaines vitamines antioxydantes (A, C, E) jouent un rôle majeur dans la protection contre le cancer. Il existe deux types de vitamines : liposolubles et hydrosolubles. Les liposolubles (A, D, E, K)

LES VITAMINES EN DÉTAIL

VITAMINE A
Nécessaire pour la croissance, une peau et un émail des dents sains, une bonne vision. Sources :
abricots secs • carottes • cresson • épinards • légumes verts feuillus • poivrons

VITAMINES DU GROUPE B
Nécessaires pour la croissance, la conversion des aliments en énergie, un système nerveux sain, la formation des globules rouges. Sources :
arachides • avocats • bananes • céréales complètes • céréales préparées enrichies • champignons • extrait de levure • germe de blé • germes de soja • légumes verts feuillus • margarine • produits laitiers

VITAMINE C
Nécessaire pour la croissance, un tissu du corps sain, la guérison des blessures, la résistance à l'infection. Contribue à l'absorption du fer (donc importante pour les végétariens, car les dépôts de fer des plantes sont moins facilement absorbés). Sources :
agrumes • baies • brocolis • chou • légumes verts feuillus • persil • petits pois • poivrons • pommes de terre

VITAMINE D
Nécessaire pour la formation de dents et d'os sains. Peut être fabriquée par le corps lorsque la peau est exposée au soleil. Autres sources :
céréales enrichies • margarine • produits laitiers

VITAMINE E
Nécessaire pour la maintenance de la structure cellulaire du corps. Sources :
avocats • germe de blé • graines • huiles végétales • noix

VITAMINE K
Nécessaire pour la coagulation du sang. Sources :
céréales complètes • huiles végétales • légumes verts feuillus

peuvent être stockées par le corps humain, mais pas les hydrosolubles (ex. C et B) qui doivent donc être consommées tous les jours. Comme les vitamines de ce deuxième groupe se dissolvent dans l'eau, elles peuvent être détruites par une cuisson trop intense. Les fruits et légumes doivent donc être servis crus quand c'est possible ou cuits légèrement, de préférence à la vapeur. La vitamine K est fabriquée par des bactéries de l'intestin, mais comme les nouveau-nés ne les possèdent pas encore, on doit leur en donner par la bouche ou par injection à la naissance.

Parce que les fruits et légumes sont riches en vitamines, les enfants végétariens obtiennent habituellement un apport vitaminique adéquat et n'ont pas besoin de prendre des suppléments. Les vitamines B12 et D, une préoccupation fréquente des végétariens, se trouvent dans les produits laitiers et les céréales enrichies. La vitamine D est aussi présente dans la plupart des margarines végétales.

LES SELS MINÉRAUX

Les sels minéraux ne peuvent être fabriqués par le corps humain et doivent donc être fournis par l'alimentation. Le corps humain a besoin de quinze sels minéraux différents, mais dans un régime végétarien, les trois plus importants sont le fer, le calcium et le zinc.

Le lait et les produits laitiers ne sont pas de très bonnes sources de fer. Une surconsommation de lait de vache est parfois responsable d'une déficience en fer (anémie) chez certains tout-petits. Le manque de fer est un problème courant dans leur régime alimentaire et on recommande un lait fortifié en fer ou des suppléments de fer aux enfants végétariens de moins de deux ans.

L'EAU

Jusqu'à l'âge d'environ six mois, votre bébé obtient normalement assez d'eau de son lait. Dans certains cas (comme par grande chaleur ou pendant un malaise digestif), on peut lui faire boire aussi de l'eau bouillie refroidie. Mais si votre tout-petit vomit et a la diarrhée et que ces symptômes persistent plus de 24 heures, vous devriez consulter un médecin : à cet âge un jeune enfant peut se

---

LES SELS MINÉRAUX EN DÉTAIL

FER

Nécessaire pour la formation des globules rouges. Même s'il est présent dans plusieurs végétaux, le corps n'absorbe pas aussi bien le fer de provenance végétale que celui de provenance animale et un régime riche en aliments complets aggrave ce problème. Si on prend de la vitamine C avec les aliments riches en fer, cela augmente l'absorption de celui-ci. Sources :

chou • céréales complètes • épinards • fruits secs
• germe de blé • légumineuses • tofu

CALCIUM

Nécessaire pour la formation de dents et d'os sains. Il est donc très important pour les jeunes enfants. Sources :

amandes • graines de sésame • légumes verts feuillus
• noix du Brésil • produits laitiers • tofu

ZINC

Vital pour plusieurs fonctions du corps, dont la croissance. Sources :

céréales complètes • graines de sésame et de citrouille
• légumineuses • noix • produits laitiers

déshydrater très rapidement, ce qui entraîne des conséquences potentiellement graves. Quand votre bébé consommera des aliments solides, vous devriez lui offrir régulièrement des boissons en plus de ses boires de lait, en autant qu'il continue à bien manger (certains petits ont tendance à se gorger de liquide, puis à refuser leurs aliments).

Même s'il existe plusieurs boissons commerciales pour les bébés, elles sont toutes riches en sucre qui peut gâter les dents en développement. C'est pourquoi l'eau est toujours le meilleur choix. Si vous décidez de lui donner des jus de fruits (si votre bébé ne semble pas aimer l'eau), diluez-les autant que possible et offrez-les dans une tasse ordinaire ou à bec et jamais dans un biberon, pour minimiser le risque d'endommager les dents. Aucune boisson gazeuse n'est convenable pour les bébés.

Allergies et additifs

Une allergie est une réaction anormale à un aliment ou à une autre substance. Habituellement, une allergie provoque des irritations, des troubles digestifs, des enflures et de l'hyperactivité. Heureusement, elles sont plutôt rares, mais certains scientifiques affirment que leur fréquence est en progression. Les allergies alimentaires les plus répandues sont causées par les produits laitiers, le blé, les agrumes et les noix (voir ci-dessous). Quand il y a déjà des allergies à certains aliments dans la famille, ceux-ci doivent être introduits avec prudence dans le régime alimentaire du bébé.

Plusieurs recherches démontrent que les nourrissons allaités sont moins susceptibles de développer des allergies que les autres. C'est un point à considérer si vous suspectez la présence d'une allergie héréditaire dans votre famille. Certains additifs alimentaires très utilisés (ex. le colorant tartrazine) sont associés à des réactions allergiques chez les enfants. Il est donc préférable de les éviter. Mais les allergies aux aliments de base comme le lait de vache constituent des problèmes plus difficiles, surtout dans le cas des bébés nourris au biberon. Il existe des laits de soja maternisés, mais on ne les recommande que dans des cas exceptionnels. Si vous pensez que votre tout-petit a une allergie de ce type, consultez votre pédiatre avant de changer de lait maternisé.

Dans les cas d'intolérances alimentaires, le corps est incapable de digérer certaines substances. Les intolérances au lactose et au gluten sont les plus graves, mais elles sont heureusement aussi assez rares.

LES NOIX

À cause des risques d'étouffement, les noix devraient toujours être données moulues ou hachées très fin aux petits de moins de cinq ans. Les allergies aux noix sont aussi très inquiétantes : elles sont de plus en plus fréquentes chez les enfants et peuvent être très graves. Des recherches récentes suggèrent que cela est à surveiller surtout dans les familles où l'on trouve des allergies, de l'eczéma ou de l'asthme. Certains scientifiques croient que les enfants de ces familles ne devraient pas consommer de noix avant trois ans et que, pour les autres petits, il vaut mieux introduire les noix un peu plus tard qu'on ne le recommande actuellement.

Lait et produits de soja

Les laits de soja maternisés ne sont recommandés aux bébés que dans des cas exceptionnels, parce que le soja contient un niveau élevé de phytoestrogènes pouvant imiter les hormones naturelles. Cela peut être bénéfique aux femmes adultes mais néfaste au délicat équilibre hormonal des tout-petits. (C'est pourquoi les fabricants cherchent actuellement à diminuer la quantité de phytœstrogènes dans les laits de soja maternisés.) Les mères végétaliennes (qui ne consomment aucun produit laitier) ont donc une bonne raison de continuer à allaiter pendant les deux premières années de leurs petits.

Il n'y a aucun problème à introduire des aliments comme le tofu, le lait de soja, les burgers et saucisses au soja à votre enfant après l'âge d'un an pour le familiariser à un régime végétarien varié.

L'art du compromis

Dans un monde idéal, chaque plat consommé par votre enfant serait soigneusement et fraîchement préparé avec les meilleurs ingrédients naturels. Toutefois, peu de parents ont la possibilité d'atteindre une telle perfection. Inévitablement, il se produit des occasions où il faut acheter de la nourriture déjà préparée. Ne vous culpabilisez surtout pas quand cela arrive : ces achats occasionnels d'aliments en sachets ou en bocaux n'affecteront pas la croissance et le développement de votre bébé (mais leur usage systématique pourrait avoir un impact négatif, ne serait-ce que sur son sens du goût).

Avant d'acheter de tels produits, lisez attentivement les étiquettes et rejetez ceux contenant beaucoup de graisses hydrogénées, de sucre (maltodextrine, dextrose, saccharose), de sel et d'agents gonflants comme l'amidon transformé. Il est maintenant possible d'acheter des aliments pour bébés organiques en bocaux et ils sont préférables aux autres types. Pour les urgences, plusieurs aliments

---

LA PRÉSENTATION DE NOUVEAUX ALIMENTS

Il y a peu de règles inflexibles quant à l'âge parfait pour présenter de nouveaux aliments à votre bébé. Mais il est important de le faire dans l'ordre suggéré ci-dessous. Cette liste n'est offerte toutefois qu'à titre de guide. Vers un an, votre petit devrait apprécier presque tous les aliments préparés adéquatement (à l'exception des noix entières).

1RE PHASE DU SEVRAGE : 4-6 MOIS
abricots • avocats • bananes • carottes • choux-fleurs • mangues • melons • panais • poireaux • poires • pommes • pommes de terre • riz

2^E PHASE DU SEVRAGE : 6-9 MOIS
agrumes • ananas • aubergines • avoine • baies • betteraves • brocoli • céleri • cerises • champignons • chou • courgettes • germes de soja • graines • lentilles, raffinées et en purée • oignons • pain • pâtes • petits pois • poivrons • produits laitiers (beurre, crème, fromage, fromage frais, yogourt) • raisins • tomates

3^E PHASE DU SEVRAGE : 9-12 MOIS
beurre d'arachide • légumineuses • noix moulues (ou plus tard) • salades

À PARTIR D'UN AN
assaisonnement • extrait de levure • lait de vache entier

---

préparés conviennent aux bébés : par exemple, les conserves de haricots cuits au four (avec peu de sucre et de sel), de fruits dans un jus naturel, de maïs, petits pois et haricots dans l'eau sans sel ou sucre ajoutés. Certaines des céréales industrielles sont aussi acceptables pour les bébés et les jeunes enfants (Weetabix, Shredded Wheat).

Les fruits et légumes congelés peuvent de temps à autre remplacer les produits frais et sont parfois plus riches en nutriments. Si vous utilisez ces aliments congelés, prenez ceux qui sont au fond du congélateur au supermarché (leur température sera plus froide que ceux sur le dessus) et emballez-les dans un sac à isolation thermique pour qu'ils ne dégèlent pas avant votre arrivée à la maison.

L'hygiène

Lorsque vous préparez et cuisez la nourriture des bébés et des jeunes enfants, il est important d'adopter de hauts standards d'hygiène pour vous et votre cuisine. Lavez-vous toujours les mains avec soin (préférablement avec un savon antibactérien) avant de toucher les aliments destinés à votre petit. Assurez-vous que toutes les surfaces de travail soient propres : idéalement, il faudrait les laver tous les jours avec un nettoyant antibactérien. Si vous avez des animaux de compagnie, ne les laissez pas approcher des endroits où on prépare les aliments.

Il faut aussi surveiller la propreté des torchons, serviettes, éponges et planches à couper, qui peuvent receler des microbes (pour ces planches, le verre et le plastique sont préférables au bois). Les ustensiles de cuisine doivent toujours être lavés dans l'eau chaude savonneuse et bien rincés pour éliminer toute trace de détergent. N'utilisez pas de poêle non adhésive : elles ont tendance, en s'abîmant, à emprisonner des particules d'aliments, une source potentielle de contamination. Évitez aussi les batteries de cuisine en aluminium, car il se pourrait que cet élément soit absorbé pendant la cuisson de la nourriture. Enfin, vérifiez que le frigo fonctionne à la bonne température de conservation.

Durant la première phase du sevrage, vous devriez stériliser les cuillers et bols de votre bébé tout comme ses biberons. Cela n'est plus nécessaire après l'âge de six mois, quoique les biberons et tétines utilisés pour le lait devraient être encore stérilisés tant que votre bébé s'en sert.

La préparation des aliments

La plupart des fruits et légumes, sauf ceux de culture organique, sont vaporisés avec des insecticides. Vu que même de minuscules traces de ces produits chimiques pourraient causer des problèmes à long terme, il est préférable de peler tous les fruits et légumes pour votre bébé. Et cuisez-les toujours un minimum de temps afin de préserver un maximum de nutriments (sauf les légumineuses qui doivent bouillir fort pendant au moins dix minutes pour détruire les toxines, puis cuire jusqu'à très tendres pour les rendre plus digestibles). Afin d'éviter d'ajouter du gras pour la cuisson, cuisez de préférence à la vapeur ou au four à micro-ondes.

N'ajoutez jamais de sel aux aliments de votre bébé. Pour varier le goût d'un plat, vous pouvez y ajouter des fines herbes et aussi, à partir de la seconde phase du sevrage, un peu d'épices.

Des réserves congelées

Vous avez probablement toujours des surplus quand vous préparez les repas de votre bébé. Congelez immédiatement ces portions supplémentaires, qui seront bien utiles les jours où vous n'avez pas le temps de cuisiner. Mais il n'est pas recommandé de conserver longtemps au congélateur la nourriture des tout-petits. Si vous ne pouvez pas congeler, essayez de préparer des quantités pour un seul repas à la fois. Le symbole de congélation dans la case de droite au bas des recettes de ce livre indique les plats qui se congèlent le mieux.

Au début, des bacs à glaçons sont parfaits pour congeler les mini-portions d'aliments pour votre bébé. Mais à mesure que votre petit grandit, des contenants propres de yogourt ou autres conviendront mieux (voir chapitre deux). Ne stockez pas pour plusieurs mois toutefois, car l'appétit et les préférences de votre enfant évoluent si rapidement durant cette période qu'il est imprudent de planifier pour plus de quatre semaines. De plus, même si la congélation est une bonne méthode de préservation de la nourriture, la valeur nutritive des aliments congelés diminue avec le temps.

Les recettes

Toutes les recettes présentées dans ce livre ont été goûtées et testées par mon fils, qui les a bien aimées la plupart du temps (les goûts des petits peuvent être assez inconstants). Le nombre de portions est indiqué dans chaque cas, mais cela est assez approximatif, car les appétits peuvent être très différents. Ces recettes font connaître aux enfants une grande variété de saveurs et de cuisines, tout en permettant de leur donner une large gamme de nutriments qui contribuent à leur croissance et à leur développement. Adaptez ces recettes selon les goûts de votre famille et inscrivez la réaction dans la case appropriée au bas des recettes. Et surtout, jouissez pleinement de l'expérience unique de nourrir votre enfant.

CHAPITRE DEUX

De quatre à six mois

PREMIÈRES SAVEURS

Entre l'âge de quatre et six mois, la plupart des bébés commencent à démontrer de l'intérêt pour leur première «vraie» nourriture. À cause des quantités minimes que votre tout-petit consommera pour commencer, il s'agit plus au départ de goûter que de manger. Mais cela vaut quand même la peine de lui préparer des purées maison de légumes et de fruits: les saveurs que vous lui faites découvrir au tout début détermineront les préférences de votre enfant dans les mois et les années à venir.

Comme l'apprennent vite les nouveaux parents, leur entourage et leur milieu exercent des pressions sur eux afin qu'ils se livrent à des comportements excessifs pour élever leur bébé. Il est facile d'ignorer ceux qui sont vraiment exagérés (cartes éclair à quatre mois, analyses des opéras de Mozart à six mois). Mais pour les apprentissages ordinaires comme le sevrage et le développement moteur, de telles pressions peuvent devenir insidieuses. Je me souviendrai toujours du sentiment d'échec que j'ai ressenti au retour d'une visite à la clinique avec mon bébé de douze semaines encore nourri exclusivement au lait maternel : plusieurs nourrissons de son âge mangeaient déjà des aliments solides. Mon fils avait-il du retard dans son développement ? Sa croissance en serait-elle affectée ?

Pourtant à ce stade (comme à tous les autres), les bébés sont des êtres uniques qui se développent à leur propre rythme. En outre, les scientifiques affirment qu'il n'y a pas d'avantages au sevrage hâtif et que cela peut même avoir un impact négatif. Jusqu'à l'âge de quatre mois, le système digestif n'est pas assez développé pour digérer autre chose que le lait, qui contient tous les nutriments nécessaires. Introduire des aliments solides trop tôt dans le régime d'un bébé risque de diminuer son appétit pour le lait dont il a besoin pour sa croissance et son développement et d'augmenter les risques de malaises digestifs et d'allergies alimentaires. Alors que certains nourrissons sont prêts à consommer des aliments solides à quatre mois, d'autres continuent à bien se développer et ne montrent jusqu'à six mois au moins aucun intérêt pour d'autre nourri-

ture que le lait. Les bébés nourris au biberon ont tendance à commencer l'alimentation solide avant les bébés allaités, peut-être parce que les laits maternisés ne s'adaptent pas aux besoins changeants de l'enfant comme le fait le lait maternel.

Laissez votre bébé vous indiquer le moment où il est prêt pour une alimentation solide. Pour le découvrir, épiez-en les signes caractéristiques : s'il demande à être nourri à des intervalles plus courts mais semble moins repu et s'il s'intéresse à vos repas (essayant peut-être même de saisir un aliment).

Comment sevrer votre bébé

Pour un bébé habitué à téter, manger est un nouvel apprentissage à maîtriser et il lui faut un certain temps pour y parvenir. Commencez en lui offrant un peu de nourriture solide une seule fois par jour : le midi est souvent préférable, car votre petit est alors plus éveillé. Évitez de le faire à la fin de la journée, au cas où un aliment lui causerait des problèmes : il passerait alors une très mauvaise nuit – et ses parents aussi.

Ne lui servez qu'une cuillerée à soupe de purée de riz tiède ou d'un seul fruit ou légume (voir Purées de base, p. 23). Commencez en ne donnant à votre bébé que la moitié de son boire habituel au sein ou au biberon, afin qu'il ne soit pas trop affamé pour se concentrer sur cette nouvelle expérience. Puis plongez le bout d'une petite cuiller en plastique dans la purée. Introduisez la cuiller entre ses lèvres (sans pousser, cela provoque un haut-le-cœur) et laissez-le lécher la nourriture. Il crachera peut-être la première cuillerée ; sans le forcer, essayez de nouveau. Après quelques tentatives ou quand il n'y a plus de purée (qui n'a pas été nécessairement ingérée en tout ou en partie), donnez-lui le reste de son lait.

Pendant les deux ou trois premières semaines, offrez le même aliment à votre petit pour au moins trois jours afin de voir ses réactions et de lui permettre de s'y habituer. Après trois semaines environ, augmentez la portion d'un tiers et donnez-lui un peu de riz premier âge au milieu de son premier boire du matin. Quand votre bébé mange avec plaisir ces deux « repas », vous pouvez commencer à lui donner un peu d'aliments solides en fin d'après-midi. Puis offrez-lui deux plats à midi : une purée de légume suivie d'une de fruit. Après deux ou trois mois, vous verrez que votre petit mange trois repas d'aliments solides par jour et qu'il n'a plus besoin d'un boire de lait à midi (pour le désaltérer, donnez-lui de l'eau bouillie refroidie dans une tasse).

Premiers aliments

La plupart des fruits et des légumes conviennent comme premiers aliments solides pour un bébé. Mais il est préférable d'éviter les agrumes et les baies au début : ils peuvent être trop acides pour son système digestif peu développé. Il faut toujours laver, peler et cuire les fruits et les légumes soigneusement (j'indique dans les recettes les quelques cas où ce n'est pas nécessaire). Réduisez ensuite la pulpe en purée très homogène : vous verrez qu'il faut souvent ajouter un peu de liquide afin de rendre la consistance plus acceptable pour votre nourrisson. Ce liquide peut être de l'eau bouillie ou, mieux encore, du lait maternel ou maternisé. Ne remplacez pas le lait maternel ou maternisé, même pour la cuisson, avant que votre bébé n'ait au moins six mois et notez qu'il y a des avantages du point de vue nutrition à continuer de donner même plus longtemps ces laits conçus spécialement pour les petits humains.

Il ne faut pas donner à votre bébé de protéines comme celles du fromage, du yogourt, de la crème, des œufs et des légumineuses avant que le sevrage soit bien implanté. Les céréales sans gluten (riz, millet, maïs) peuvent être introduites dès le début, mais attendez que votre petit tolère bien celles-ci (et certainement pas avant six mois) pour commencer à lui donner du blé et même de l'avoine. Finalement, évitez le gruau, à moins qu'il ne soit moulu très fin.

Même si les premiers aliments de votre bébé semblent très fades à votre goût éduqué d'adulte, n'y ajoutez pas de sel ou de sucre. Le sel peut endommager ses reins et le sucre développera son goût pour les sucreries. Le sucre naturel des fruits et de certains légumes (surtout les légumes racines) est parfaitement adéquat et suffisant à ce stade.

L'équipement

Vous n'avez pas besoin de beaucoup d'équipement spécial pour préparer la nourriture de votre bébé, mais certains ustensiles peuvent vous faciliter la tâche. Un robot de cuisine ou une moulinette (moulin à légumes) fait gagner du temps et vous épargne beaucoup d'efforts. J'ai aussi déniché un mini-robot (du type pour hacher les fines herbes et les noix) qui est fantastique pour les purées de bébé. Car les toutes petites quantités d'aliments semblent perdues et ne sont pas bien hachées dans le grand robot et, même si vous lavez scrupuleusement le bol, les saveurs fortes comme celles de l'ail et du piment ont tendance à s'y imprégner. Une passoire de nylon est essentielle aussi pour débarrasser certains aliments de leurs graines ou leurs fibres coriaces.

Si vous prévoyez de préparer plusieurs portions de nourriture pour bébé à la fois, vous pouvez congeler le surplus dans un ou deux bacs à glaçons en plastique. Réservez ces bacs exclusivement pour les purées de votre tout-petit et faites-en décongeler un ou deux cubes au besoin.

Procurez-vous aussi des bavoirs à doublure de plastique pour protéger les vêtements de votre bébé. Vous serez étonnée de la grande surface que peut couvrir une seule cuillerée de purée! Quand notre fils a commencé à manger des aliments solides, les murs de la cuisine ont été souvent décorés d'un intéressant motif de taches alimentaires multicolores. Si vous préférez asseoir votre petit sur vos genoux pour le nourrir plutôt que dans une chaise, achetez-vous aussi un grand tablier très couvrant.

La plupart des pharmacies et des magasins d'équipements spécialisés vendent des cuillers de plastique bien arrondies et conçues pour que les bébés puissent facilement les utiliser. Il vous faudra aussi quelques petits bols avec des poignées et des ventouses ainsi qu'une tasse à bec. Comme celle-ci sera plus souvent à l'horizontale qu'à la verticale, choisissez une tasse au couvercle bien ajusté.

L'hygiène

Il est très important d'avoir une hygiène scrupuleuse quand on prépare la nourriture des jeunes bébés, car leur délicat système digestif et leur faible résistance les rendent particulièrement vulnérables aux infections. Lavez les surfaces de la cuisine avec un nettoyant antibactérien au moins une fois par jour et changez les torchons, serviettes et autres linges quotidiennement. Un lave-vaisselle est la meilleure façon de laver la vaisselle et les ustensiles de cuisine. Si vous n'en avez pas, lavez-les à fond dans l'eau chaude savonneuse, rincez bien et laissez égoutter pour sécher. S'il faut essuyer la vaisselle et les ustensiles, utilisez du papier de cuisine plutôt que des linges, qui peuvent receler des microbes.

Il est préférable de stériliser les tasses, les bols et les cuillers de votre bébé au moins pendant les deux premiers mois. Jetez toujours la nourriture qui reste après les repas (les bactéries sur la cuiller peuvent la contaminer) et ne réchauffez qu'une seule fois les aliments décongelés. Lavez-vous soigneusement les mains avant de préparer la nourriture de votre bébé et essayez de toujours nettoyer les siennes avant et après les repas. Les petits poings pas très propres sont un endroit idéal pour toutes sortes de bactéries indésirables. Les malaises digestifs de votre tout-petit sont pénibles : il vaut donc la peine de prendre des précautions pour prévenir les problèmes.

Riz premier âge

La plupart des professionnels de la santé recommandent cette préparation comme premier aliment solide du bébé, parce qu'elle est nutritive, facile à digérer et sans gluten. Même s'il en existe plusieurs sortes excellentes dans le commerce, on peut aussi la préparer soi-même. Plusieurs parents ne le font pas, car ils sont impressionnés par la longue liste de nutriments fortifiants figurant sur les emballages des variétés industrielles. Mais à cet âge, votre petit obtient encore tous les nutriments nécessaires de son lait : ces suppléments sont donc superflus. Utilisez toujours du riz blanc raffiné, car les nourrissons ne peuvent digérer aisément le riz brun. Il est utile de congeler des portions de ce riz, qui peuvent ensuite être incorporées aux purées des pages suivantes, pour ajouter du volume.

DONNE 12-16 PORTIONS

50 g (¼ t.) de riz blanc

Lavez bien le riz sous le robinet, puis déposez dans une petite casserole et ajoutez de l'eau jusqu'à environ 6 mm au-dessus du riz. Remuez une fois, puis couvrez avec un couvercle bien ajusté. Portez à ébullition et faites mijoter doucement 30 à 40 minutes, jusqu'à absorption de l'eau. Le riz sera alors bien cuit. Réduisez en purée avec du lait maternel ou maternisé jusqu'à consistance homogène et onctueuse.

Purées de base

Les purées de fruit ou de légume sont de parfaits premiers aliments solides pour votre bébé. Quand il sera plus habitué à l'alimentation solide, vous pourrez essayer diverses combinaisons de fruits et de légumes, mais pour commencer, il est préférable de les servir individuellement. Cela vous permettra d'identifier ses saveurs préférées, celles qu'il aimera pour toujours et celles qui ne lui plaisent pas du tout.

Les quantités indiquées pour ces purées uniques sont les plus petites qu'on puisse préparer. Au début du sevrage, ce sera suffisant pour deux ou trois «repas», mais rapidement, votre tout-petit pourra tout manger en un seul repas. Ce sera le moment de tripler ou de quadrupler les quantités et de faire congeler le surplus pour usage futur. Lorsqu'il faut ajouter du liquide, utilisez de préférence le lait maternel ou maternisé, ou de l'eau bouillie.

POMME

1 petite pomme pour la cuisson

Lavez, pelez, évidez et hachez la pomme. Déposez dans une petite casserole avec un peu d'eau, portez à ébullition, puis faites mijoter environ 5 à 8 minutes, pour bien attendrir. Réduisez en purée homogène, en ajoutant un peu de liquide si nécessaire.

ABRICOT

Au début du sevrage essayez de combiner cette purée avec du riz premier âge.

3 abricots frais et mûrs

Lavez et pelez les abricots, puis coupez en deux. Déposez dans une petite casserole avec un peu d'eau. Portez à ébullition, couvrez et faites mijoter environ 10 à 15 minutes, pour attendrir. Réduisez en purée homogène, en ajoutant un peu de liquide si nécessaire.

BANANE

La banane est l'un des seuls fruits que votre bébé peut manger crus dans les premiers stades du sevrage. Au début toutefois, les fibres du fruit passent sans être digérées à travers son système digestif !

½ petite banane très mûre

Écrasez bien la banane à la fourchette, puis ajoutez assez de lait maternel ou maternisé pour obtenir une consistance onctueuse.

POIRE

Quand l'alimentation solide est bien établie,
il est inutile de cuire les poires mûres avant
de les réduire en purée. Mais au début,
leur cuisson facilite leur absorption.

1 petite poire mûre

Lavez, pelez et évidez la poire. Déposez dans
une petite casserole avec un peu d'eau et
portez à ébullition, puis couvrez et faites mijoter environ 5 à 8 minutes (selon la variété de
poire), pour bien ramollir. Réduisez en purée
homogène, en ajoutant un peu de liquide si
nécessaire.

PÊCHE

Les pêches mûres, délicieuses et très juteuses,
sont parfaites pour votre bébé.

1 petite pêche mûre

Lavez la pêche. Tailladez-la d'une croix pour
enlever la peau, puis plongez le fruit 2 à
3 minutes dans l'eau bouillante. La peau devrait alors se soulever facilement. Pelez et hachez, puis déposez dans une petite casserole
avec un peu d'eau. Portez à ébullition, puis
couvrez et faites mijoter environ 10 minutes,
pour attendrir. Réduisez en purée homogène,
en ajoutant un peu de liquide si nécessaire.

PRUNEAU

Contrairement aux adultes, la plupart des
bébés adorent les pruneaux. Cette purée
a un effet laxatif : pour le contrer, incorporez-y
une quantité égale de riz premier âge.
Plus tard, essayez de la combiner avec
une banane écrasée.

5 pruneaux dénoyautés

Lavez les pruneaux soigneusement. Déposez
dans une petite casserole et couvrez d'eau.
Portez à ébullition puis faites mijoter 20 à
30 minutes, pour bien attendrir. Réduisez en
purée homogène, en ajoutant un peu de liquide
si nécessaire.

MANGUE

Utilisez les petites mangues jaunes
plutôt que les grosses vertes, car leur
saveur plus douce et plus sucrée est
idéale pour les bébés.

1 petite mangue

Nettoyez rigoureusement la mangue et
pelez. Coupez la pulpe pour enlever le
noyau. Réduisez en purée homogène.

MELON

On peut servir crus aux bébés tous les melons, pourvu qu'ils soient très mûrs et que leur peau soit bien lavée avant de les couper. Si le melon n'est pas assez mûr, cuisez légèrement à la vapeur avant de faire la purée.

1 petite tranche de melon

Coupez la pulpe du melon pour la séparer de la peau et enlevez toute la partie verte à la base. Réduisez en purée homogène et n'ajoutez pas d'eau, car les melons en contiennent beaucoup.

COURGE

La courge a un goût peu prononcé et se digère bien : elle est donc idéale pour les jeunes bébés. Évitez les très grosses courges, qui sont souvent sèches et fibreuses.

1 tranche épaisse de courge

Pelez la courge, puis enlevez les graines et le cœur. Coupez la pulpe en dés et cuisez à la vapeur 10 à 15 minutes, pour bien attendrir. Écrasez à la fourchette pour rendre bien homogène.

CAROTTE

Les bébés aiment beaucoup les carottes, peut-être à cause de leur goût sucré. Utilisez de jeunes carottes tendres, qui sont moins fibreuses.

1 carotte moyenne

Brossez la carotte vigoureusement, coupez les deux bouts et pelez. Déposez dans une casserole d'eau en faible ébullition, couvrez et faites mijoter environ 30 minutes, pour bien attendrir. Égouttez et réservez l'eau de cuisson. Réduisez en purée, en ajoutant la quantité nécessaire d'eau réservée.

AVOCAT

Les avocats sont très nutritifs et leur texture onctueuse et leur goût plaisant en font un bon aliment à ce stade. Ils sont aussi l'un des rares aliments «instant» que vous pouvez offrir à votre tout-petit. Préparez la purée juste avant le repas, pour que la pulpe ne brunisse pas.

1 tranche d'avocat assez mûr

Lavez l'avocat, puis coupez-le et retirez la pulpe. Écrasez-la à la fourchette, en ajoutant du lait maternel ou maternisé pour obtenir une purée homogène.

POMME DE TERRE

Les variétés plus «farineuses» conviennent mieux aux jeunes bébés : cuites, on peut les écraser facilement. Prenez celles dont la peau est aussi lisse et sans tache que possible.

1 *pomme de terre moyenne*

Brossez et lavez la pomme de terre, puis pelez et enlevez les taches. Coupez en cubes. Déposez dans une casserole d'eau bouillante, couvrez et faites mijoter 20 à 30 minutes, pour bien attendrir. Égouttez et écrasez à la fourchette jusqu'à consistance homogène, en ajoutant du lait maternel ou maternisé si nécessaire.

PATATE DOUCE

La pulpe orange onctueuse de ce légume plaît bien aux bébés. On peut le faire bouillir, mais je préfère le cuire au four.

1 *petite patate douce*

Brossez et lavez la peau de la patate, puis asséchez et piquez partout avec une fourchette. Cuisez au four à 220 °C (400 °F) 45 à 60 minutes, pour bien ramollir. Coupez en deux, retirez la pulpe et écrasez à la fourchette jusqu'à consistance homogène, en ajoutant du lait maternel ou maternisé.

PANAIS

Le panais possède un goût sucré qui plaît aux bébés. Choisissez de petits panais frais : leurs goût et texture sont meilleurs.

1 *panais moyen*

Brossez et lavez le panais, enlevez les deux bouts et coupez en quatre sur la longueur. Enlevez le centre dur et coupez en morceaux égaux. Déposez dans une casserole d'eau bouillante, couvrez et faites mijoter 25 à 30 minutes, pour bien attendrir. Réduisez en purée homogène, en ajoutant du liquide si nécessaire.

CHOU-FLEUR

Au début du sevrage, le chou-fleur doit être très cuit ou il pourrait donner de la flatulence à votre bébé.

3 *ou 4 fleurettes de chou-fleur*

Lavez bien le chou-fleur. Déposez dans une casserole d'eau bouillante, couvrez et faites mijoter 10 à 15 minutes, pour bien attendrir (insérez la pointe d'un couteau dans les tiges pour vérifier). Égouttez et réduisez en purée homogène, en ajoutant du liquide si nécessaire.

HARICOTS VERTS

Les haricots très fins conviennent mieux, car ils sont moins filandreux. Si vous utilisez une autre variété, vous devrez passer la purée à la passoire fine avant de servir.

5 haricots verts fins

Lavez les haricots et coupez les deux bouts. Cuisez à la vapeur 10 à 15 minutes, pour très bien attendrir. Réduisez en purée homogène, en ajoutant du liquide si nécessaire.

CHOU-FLEUR ET BROCOLI

Ces deux légumes ont une affinité naturelle et donnent une purée verte aussi harmonieuse à l'œil qu'au palais.

DONNE 6 PORTIONS

3 ou 4 fleurettes de chou-fleur
3 ou 4 fleurettes de brocoli

Lavez bien les légumes. Déposez dans une casserole d'eau bouillante, couvrez et faites mijoter 10 à 15 minutes, pour qu'un couteau puisse être inséré facilement dans les tiges. Égouttez et réduisez en purée, en ajoutant un peu de liquide si nécessaire.

CAROTTE, PANAIS ET RUTABAGA

Cette combinaison appartient à la catégorie «sûre de plaire aux bébés».

DONNE 8 PORTIONS

1 carotte moyenne
1 panais moyen
1 tranche de rutabaga

Lavez, pelez et coupez en dés les légumes. Déposez dans une casserole d'eau bouillante, couvrez et faites mijoter environ 25 à 30 minutes, pour bien attendrir. Égouttez et réduisez en purée homogène, en ajoutant un peu de liquide si nécessaire.

HARICOTS VERTS ET POIVRON ROUGE

Le goût sucré des poivrons rend celui des haricots plus intéressant.

DONNE 6 PORTIONS

5 haricots verts, lavés, préparés et hachés
½ poivron rouge, lavé, épépiné et haché

Déposez les haricots dans une casserole d'eau bouillante, couvrez et faites mijoter 5 minutes. Ajoutez le poivron et cuisez encore 5 minutes. Égouttez et réduisez en purée, en ajoutant un peu de liquide si nécessaire.

POMME DE TERRE, POIREAU ET ÉPINARDS

L'oignon a un goût trop fort pour les bébés et un effet parfois dramatique sur leur système digestif. Le poireau, lui, est plus subtil.

DONNE 10 PORTIONS

1 *pomme de terre moyenne, brossée, lavée, pelée et coupée en dés*
1 *jeune poireau tendre, bien lavé, préparé et haché (le blanc seulement)*
5 *feuilles d'épinard frais sans tige, lavées et hachées*

Déposez la pomme de terre et le poireau dans une casserole d'eau bouillante, couvrez et faites mijoter environ 20 minutes, pour bien attendrir. Mettez les épinards à peine égouttés dans une autre casserole sur feu doux et cuisez 10 à 15 minutes, pour attendrir. Égouttez tous les légumes et réduisez ensemble en purée, en ajoutant un peu de liquide si nécessaire.

CÉLERI-RAVE ET POMME DE TERRE

C'est une délicieuse purée, très appréciée aussi par les adultes.

DONNE 8 PORTIONS

1 *tranche épaisse de céleri-rave, brossée, lavée, pelée et hachée*
1 *pomme de terre moyenne, brossée, lavée, pelée et hachée*

Déposez les légumes dans une casserole d'eau bouillante, couvrez et faites mijoter environ 20 à 30 minutes, pour bien attendrir. Égouttez et écrasez à la fourchette, en ajoutant un peu de liquide si nécessaire.

COURGETTE ET CAROTTE

Cette combinaison est une de mes préférées.

DONNE 8 PORTIONS

1 *carotte moyenne, lavée, pelée et coupée en dés*
1 *petite courgette, lavée, pelée et coupée en dés*

Déposez la carotte dans une casserole d'eau bouillante, couvrez et faites mijoter environ 15 minutes. Ajoutez la courgette et continuez la cuisson 10 à 15 minutes. Égouttez et réduisez en purée homogène. Les courgettes contiennent beaucoup d'eau, vous ne devriez pas avoir à ajouter de liquide.

PANAIS ET POMME

Les combinaisons fruits-légumes sont souvent superbes, et celle-ci est la meilleure.

DONNE 8 PORTIONS

1 *petit jeune panais*
1 *petite pomme*

Grattez et lavez le panais, puis tranchez en quartiers, évidez et coupez en dés. Déposez dans une casserole d'eau bouillante, couvrez et faites mijoter environ 15 minutes. Lavez la pomme, puis évidez et coupez en dés. Ajoutez la pomme dans la casserole et cuisez encore 5 à 10 minutes. Égouttez et réduisez en purée homogène, en ajoutant un peu de liquide si nécessaire.

POMME ET POIRE

Une autre combinaison gagnante, à garder en réserve au congélateur.

DONNE 6-8 PORTIONS

1 *petite pomme*
1 *petite poire mûre*

Lavez, pelez, évidez et hachez les fruits. Déposez dans une casserole avec un peu d'eau bouillante, couvrez et faites mijoter environ 5 à 8 minutes, pour attendrir. Réduisez en purée homogène, en ajoutant un peu de liquide si nécessaire.

PRUNEAUX ET POMME

Ceci préserve le goût des pruneaux tout en neutralisant ses effets.

DONNE 8-10 PORTIONS

Mélangez ensemble 1 purée de pomme et 1 purée de pruneaux (p. 23, 24).

PÊCHE ET ABRICOT

Plus un nectar qu'une purée.

DONNE 8 PORTIONS

Mélangez 1 purée d'abricot et 1 purée de pêche (p. 23, 24). Pour les bébés un peu plus âgés, ajoutez un peu de fromage frais.

POIRE ET AVOCAT

Le contraste sucré-salé assure le succès de cette purée.

DONNE 1 PORTION

1 *tranche d'avocat mûr*
1 *tranche de poire très mûre, pelée*

Écrasez ensemble l'avocat et la poire pour obtenir un mélange homogène. Pour les bébés un peu plus âgés, ajoutez un peu de fromage frais.

MENU DE QUATRE À SIX MOIS

Utilisez ce menu comme guide seulement. Vous pouvez substituer d'autres purées à celles suggérées ici, à condition de présenter un nouvel aliment à la fois et de ne pas bousculer le rythme de votre bébé.

LISTE D'INGRÉDIENTS*

Carottes
Pommes
Riz

Sem. 1&2	Lever	Matin	Midi	Soir	Coucher
Jour 1	Lait	Lait	Lait Riz premier âge	Lait	Lait
Jour 2	Lait	Lait	Lait Riz premier âge	Lait	Lait
Jour 3	Lait	Lait	Lait Riz premier âge	Lait	Lait
Jour 4	Lait	Lait	Lait Purée de pomme	Lait	Lait
Jour 5	Lait	Lait	Lait Purée de pomme	Lait	Lait
Jour 6	Lait	Lait	Lait Purée de pomme	Lait	Lait
Jour 7	Lait	Lait	Lait Purée de carotte	Lait	Lait

NOTE
Dans tous les menus, les recettes présentées dans ce livre sont en caractères gras.

* Utilisez les listes d'ingrédients pour faciliter vos courses (les ingrédients de base usuels dans une cuisine ne sont pas indiqués).

MENU DE QUATRE À SIX MOIS (suite)

Après environ une semaine, votre bébé progressera à deux « repas » d'aliments solides par jour et vous pourrez alors commencer à varier ses plats quotidiennement.

LISTE
D'INGRÉDIENTS

Avocat
Bananes
Courge
Panais
Pêches
Poires
Pommes de terre
Riz

Sem. 3	Lever	Matin	Midi	Soir	Coucher
Jour 1	Lait	Lait Riz premier âge	Lait Purée de courge	Lait	Lait
Jour 2	Lait	Lait Riz premier âge	Lait Purée de poire	Lait	Lait
Jour 3	Lait	Lait Riz premier âge	Lait Purée de pomme de terre	Lait	Lait
Jour 4	Lait	Lait Riz premier âge	Lait Purée de banane	Lait	Lait
Jour 5	Lait	Lait Riz premier âge	Lait Purée de panais	Lait	Lait
Jour 6	Lait	Lait Riz premier âge	Lait Purée de pêche	Lait	Lait
Jour 7	Lait	Lait Riz premier âge	Lait Purée d'avocat	Lait	Lait

MENU DE QUATRE À SIX MOIS (suite)

Vers la fin du premier mois de sevrage, votre bébé sera prêt à consommer des aliments solides trois fois par jour, mais il n'en mangera pas encore beaucoup à chaque repas.

LISTE D'INGRÉDIENTS

Abricots
Avocat
Bananes
Carottes
Chou-fleur
Haricots
Mangue
Melon
Patate douce
Poires
Pommes
Pommes de terre
Pruneaux
Riz

Sem. 4	Lever	Matin	Midi	Soir	Coucher
Jour 1	Lait	Lait Riz premier âge	Purée de patate douce Lait	Purée d'abricot Lait	Lait
Jour 2	Lait	Lait Riz premier âge	Purée de chou-fleur Lait	Purée de pruneaux Lait	Lait
Jour 3	Lait	Lait Riz premier âge	Purée de haricots verts Lait	Purée de melon Lait	Lait
Jour 4	Lait	Lait Riz premier âge	Purée de carotte Purée de poire Eau Lait	Purée de banane Lait	Lait
Jour 5	Lait	Lait Riz premier âge	Purée de pomme de terre Purée de pruneaux Eau Lait	Purée de pomme Lait	Lait
Jour 6	Lait	Lait Riz premier âge	Purée de chou-fleur Purée de poire Eau Lait	Purée de mangue Lait	Lait
Jour 7	Lait	Lait Riz premier âge	Purée d'avocat Purée de melon Eau Lait	Purée de banane Lait	Lait

MENU DE QUATRE À SIX MOIS (suite)

L'appétit de votre bébé pour les aliments solides et pour de plus grosses portions devrait être maintenant bien établi. Vous pouvez donc lui donner des combinaisons d'aliments.

LISTE D'INGRÉDIENTS

Abricots
Avocat
Bananes
Brocoli
Céréales de bébé
Carottes
Céleri-rave
Chou-fleur
Courge
Courgettes
Épinard
Haricots verts
Mangue
Melon
Panais
Pêches
Poireaux
Poires
Poivron rouge
Pommes
Pommes de terre
Pruneaux
Rutabaga

Sem. 5&6	Lever	Matin	Midi	Soir	Coucher
Jour 1	Lait	Purée de banane Lait	Purée de panais, carotte et rutabaga Purée de melon Eau bouillie	Purée d'avocat Lait	Lait
Jour 2	Lait	Céréales de bébé Lait	Purée de céleri-rave et pomme de terre Purée de pruneaux Eau bouillie	Purée de banane Lait	Lait
Jour 3	Lait	Purée de pomme et poire Lait	Purée de chou-fleur et brocoli Purée de pêche Eau bouillie	Purée de courge Lait	Lait
Jour 4	Lait	Céréales de bébé Lait	Purée de panais et pomme Purée d'abricot Eau bouillie	Purée de pruneaux et pomme Lait	Lait
Jour 5	Lait	Purée de banane Lait	Purée de pomme de terre et épinards Purée de pomme et poire Eau bouillie	Purée de carotte Lait	Lait
Jour 6	Lait	Céréales de bébé Lait	Purée de haricots verts et poivron rouge Purée de pruneau Eau bouillie	Purée de pêche Lait	Lait
Jour 7	Lait	Purée de mangue Lait	Purée de courgette et carotte Banane	Purée de poire et avocat Lait	Lait

CHAPITRE TROIS

De six à neuf mois
TEXTURES ET GOÛTS

À un certain point entre six et neuf mois, la plupart des bébés entrent dans ce que les experts et professionnels de la santé appellent la seconde phase du sevrage. C'est la période où ils peuvent en général bien tolérer le gluten et les protéines autres que celles du lait, et assimiler des aliments plus texturés. C'est souvent aussi le début d'une courte «lune de miel» en ce qui concerne l'alimentation de votre enfant (quoique certains deviennent difficiles à cet âge). Durant les mois suivants, votre bébé adoptera probablement des habitudes alimentaires assez régulières, gagnera rapidement du poids, prendra l'équivalent de trois repas par jour et n'aura que peu de caprices. Même si la plupart des tout-petits préfèrent un régime assez monotone, profitez de cette phase pour familiariser votre enfant avec autant de saveurs et de textures que possible. Cette stratégie portera fruit à long terme.

À cet âge, le lait occupe encore une place importante dans le régime alimentaire de votre nourrisson, mais il ne peut plus combler tous ses besoins nutritifs. Les réserves de fer innées de votre bébé s'épuisent et sa croissance rapide signifie qu'il lui faut des protéines, vitamines, sels minéraux et calories supplémentaires. À partir de ce point et pour au moins un an, vous devez donner au moins 600 ml (2 ½ t.) de lait à votre petit par jour en plus des aliments solides. Cette quantité de lait est nécessaire pour un développement sain de ses os et de ses dents.

Le choix entre le lait maternel ou le lait maternisé est laissé à votre discrétion, mais il ne faut pas introduire le lait de vache dans son régime (sauf dans la cuisson) avant l'âge d'au moins un an. Si vous avez allaité votre bébé pendant les premiers mois et le faites boire au biberon maintenant, il est inutile de vous culpabiliser. Votre tout-petit a déjà bénéficié des principaux avantages de l'allaitement, dont une résistance accrue aux maladies grâce aux anticorps du lait maternel. Certaines mères peuvent continuer à allaiter le soir seulement pour une période indéfinie. Alors si cela vous convient à vous et à votre enfant, continuez bien sûr. Dans mon cas, lorsque j'ai commencé à donner des biberons dans la journée, mon lait a vite tari.

Quand l'alimentation solide est bien établie, n'offrez plus de lait à votre bébé pendant les repas : cela le distrait de manger et, un peu plus tard, il sera affamé et de mauvaise humeur. Pour le désaltérer, donnez-lui un jus de fruit très dilué ou, mieux encore, de l'eau bouillie refroidie. Faites boire le jus et l'eau à la tasse et jamais au biberon. Les sucres naturellement présents dans les jus de fruits sont préférables aux sucres artificiels, mais les délicates nouvelles dents de votre petit ne peuvent faire la différence. On pense aussi que les acides de plusieurs boissons et jus de fruits commerciaux peuvent endommager les dents. Les boissons industrielles soi-disant «naturelles» sont tout aussi dommageables. Lisez bien les emballages et rejetez tout ce qui contient beaucoup d'ingrédients en «oses» (fructose, saccharose, lactose, etc.), qui sont tous des sucres. Évitez aussi les édulcorants comme la saccharine et l'aspartame, qu'on trouve dans certains yogourts et boissons, mais qu'il est interdit d'ajouter aux aliments pour bébés.

TROIS REPAS PAR JOUR

Lorsque votre bébé est habitué aux aliments solides, très vite vous verrez qu'il apprécie un horaire régulier pour ses repas. Maintenant que le gluten de certains produits au blé (ex. pain, céréales) n'est plus un problème pour lui, il peut manger des céréales avec des fruits pour le petit-déjeuner. Les publicités incitent les parents à acheter des céréales pour bébés spéciales, mais des aliments plus simples (comme le gruau ou les biscuits au blé entier) sont aussi excellents pour son premier repas de la journée.

Les tout-petits de cet âge devraient manger leur plus gros repas à midi et c'est aussi le meilleur moment pour leur présenter de nouveaux aliments. Votre enfant aura probablement une meilleure réaction à ce moment et, si jamais un des aliments lui cause un problème, vous aurez du temps pour corriger la situation avant l'heure du coucher.

Sachez aussi que presque tout ce que votre bébé ingurgite ressortira sous forme assez reconnaissable. Donc si votre petit ne semble pas malade, ne vous inquiétez pas trop si certaines de ses selles vous semblent alarmantes.

L'appétit d'un enfant de cet âge peut aussi excéder ses habiletés. Quand mon fils avait neuf mois, nous l'avons emmené en vacances en France. C'était bien de le sortir au restaurant le soir, où il suçait avec plaisir un bout de baguette pendant que nous mangions notre repas. Après quelques jours, il a commencé à refuser sa nourriture et nous avons découvert une grosse boule de pain collé à son palais! J'ai ainsi découvert que les bébés essaient d'en prendre plus qu'ils ne peuvent avaler. C'est une des raisons pourquoi il ne faut jamais les laisser seuls quand ils mangent.

CONSEILS GÉNÉRAUX

Les bébés de cet âge peuvent maintenant consommer la plupart des fruits et légumes, mais ceux-ci doivent encore être très bien lavés, pelés et, si nécessaire (ex. tomates, raisins), épépinés. On peut leur donner librement les aliments à base de blé, comme le pain et les céréales. Vous pouvez commencer à offrir à votre petit du fromage et des œufs, mais évitez les fromages bleus et ne lui donnez que le jaune de l'œuf (le blanc est encore trop difficile à digérer pour lui). De plus, les œufs doivent être cuits dur pour éliminer les salmonelles et autres bactéries. Présentez-lui aussi des légumineuses comme sources différentes de protéines, mais procédez graduellement et écrasez-les d'abord : sinon, elles passeront tout droit sans être digérées. Écrasez les haricots et les lentilles avec un peu d'huile; cela les rendra plus agréables au goût et ajoutera des calories essentielles.

Ne craignez pas d'ajouter de la bonne huile végétale (olive, soja, tournesol) aux aliments que vous préparez pour votre enfant. C'est un bon apport de gras pour les bébés végétariens qui ne consomment pas de gras animal.

De plus, vous devriez commencer à familiariser votre tout-petit avec les fines herbes et les épices dans ses aliments (en quantités minimes). Sinon, il risque de devenir un enfant capricieux qui se méfiera de tout assaisonnement. Le seul absolument défendu pour lui est le sel, car avant l'âge d'un an, ses reins ne sont pas encore assez développés. Comme plusieurs des recettes de ce livre plaisent aussi aux autres membres de la famille, je vous suggère de mettre à part la portion de votre bébé avant de saler le reste.

LES TEXTURES

Pour les parents, c'est tentant de continuer indéfiniment à réduire tous les aliments de bébé en purées si faciles à lui faire ingérer. Mais ne le faites pas, car vous risquez de rendre votre petit intolérant au moindre morceau de fruit ou de légume de plus de quelques millimètres carrés dans son assiette. Commencez à seulement écraser les aliments et ne vous inquiétez pas trop si au début votre enfant a un peu de difficulté à avaler. Les bébés apprennent vite à mâcher, même s'ils n'ont que peu ou pas de dents : les gencives sont très efficaces pour pulvériser des légumes bien cuits. Les languettes de toast, les biscottes et les cubes de fromage sont tous très bien pour familiariser votre tout-petit à d'intéressantes textures et à la mécanique de la mastication.

LES QUANTITÉS

Chaque recette de ce livre indique le nombre de portions, mais c'est un chiffre approximatif. L'appétit particulier de chaque bébé est le seul guide infaillible de la quantité qu'il doit ingérer. J'ai rencontré des petits ressemblant à de mini-lutteurs de sumo, qui mangeaient peu mais se développaient très bien. Mon fils, qui n'a jamais été très gros, consommait pourtant de grandes quantités de nourriture. Il est donc préférable de donner à votre tout-petit de petites portions d'abord, puis de le resservir tant qu'il veut manger encore. S'il continue de prendre du poids et de bien se développer, c'est que tout va bien.

LES PETITS TRUCS

Installez votre bébé bien confortablement avant de tenter de le nourrir. Vers six mois, la plupart des nourrissons mangent dans une petite chaise de bébé inclinée puis commencent à s'asseoir dans une chaise haute d'enfant. Essayez de détendre l'ambiance au moment des repas et ne forcez jamais votre tout-petit à manger. Comme vous, il sera parfois réellement affamé, mais il lui arrivera aussi de n'avoir aucun appétit. Laissez les aliments chauds tiédir avant de servir. Si vous utilisez le four à micro-ondes, laissez les aliments reposer au moins une minute après la cuisson, puis testez la température (les bords peuvent être brûlants alors que le centre est encore froid). La plupart des bébés semblent préférer les cuillers de plastique à celles de métal et, bien sûr, tout goûte bien meilleur quand on mange avec les doigts. Les bavoirs en plastique rigide sont très pratiques, mais certains petits les trouvent trop contraignants. Dans ce cas, vous pouvez peut-être utiliser un bavoir de coton plastifié. Finalement, le plus important est que les repas de votre bébé soient des expériences agréables que vous partagez ensemble.

SOUPES ET TREMPETTES

Potage de pomme et panais

Les combinaisons de fruits et de légumes racines plaisent aux jeunes palais encore habitués au sucre naturel du lait. Pour obtenir une purée plus épaisse, réduisez simplement la quantité de liquide.

DONNE 12 PORTIONS

2 c. à soupe de beurre
750 g (1½ lb) de panais,
pelés et hachés
1 grosse pomme, pelée,
évidée et hachée

1 pincée de sauge sèche (facultatif)
1 L (4 t.) de bouillon de légumes
non salé (fait maison)
150 ml (⅔ t.) de fromage frais

Dans une casserole, faites fondre le beurre puis faites revenir les panais et la pomme 10 minutes. Parsemez de sauge (facultatif) et incorporez le bouillon. Portez à ébullition et faites mijotez 30 à 40 minutes, pour bien attendrir panais et pomme. Laissez le potage refroidir un peu, liquéfiez au mélangeur et reversez dans la casserole. Ajoutez le fromage frais et réchauffez à feu doux.

Crème de tomate rapide

La passion de la plupart des enfants pour la crème de tomate remonte à leurs premières années. Cette version maison remporte toujours beaucoup de succès. Mon fils l'adore et c'est souvent le seul aliment qu'il accepte lorsqu'il a mal à la gorge. Pour les bébés en santé, servez avec des languette de toast ou des gressins qu'ils peuvent tremper dans leur bol pendant que vous les faites manger.

DONNE 12 PORTIONS

250 ml (1 t.) de purée de tomate
600 ml (2 ⅔ t.) de lait, ou

d'un mélange de lait et crème allégée
1 pincée de sucre

Chauffez la purée de tomate à feu doux, puis incorporez le lait (ou le mélange de lait et crème). Portez à ébullition et laissez mijoter doucement 5 minutes. Ajoutez un peu de sucre, au goût.

Crudités

Les crudités sont excellentes pour familiariser votre bébé aux aliments crus et l'encourager à mastiquer. Même si à cet âge il n'en consommera que très peu, elles soulageront ses gencives endolories par le perçage des dents et l'aideront à développer son indépendance et son habileté à manger.

Céleri
Carotte
Fleurettes de chou-fleur et de brocoli,
attendries à la vapeur

Haricots verts, attendris à la vapeur
Haricots mange-tout, attendris à la vapeur
Mini épis de maïs, en conserve
Tranches d'avocat

Lavez vigoureusement les légumes, puis pelez et coupez en morceaux assez petits pour des mains minuscules, mais assez gros pour que votre bébé ne puisse pas les avaler tout rond et s'étouffer. L'assortiment proposé ici est généralement assez populaire. Servez avec une savoureuse trempette (voir pages suivantes).

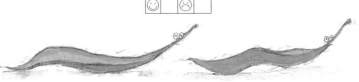

Trempette d'avocat et fromage cottage

Les bébés aiment bien la texture onctueuse et la douce saveur de l'avocat. Préparez cette trempette immédiatement avant le repas, car la pulpe de l'avocat brunit à l'air. Si vous devez la préparer à l'avance, mettez le noyau dans le bol et couvrez d'une pellicule de plastique posée directement sur la trempette. Pour la servir aux adultes, ajoutez des assaisonnements et un jet de tabasco.

DONNE 4-6 PORTIONS

1 avocat moyen mûr   *100 g (4 oz) de fromage cottage*

Coupez l'avocat en deux et enlevez le noyau. Enlevez la pulpe et déposez dans le bol du robot de cuisine. Ajoutez le fromage cottage et mélangez jusqu'à consistance homogène.

Hoummos des tout-petits

Le hoummos vendu dans les supermarchés contient beaucoup de sel, un ingrédient défendu aux jeunes bébés. Cette version en garde toutes les qualités, avec le sel en moins.

DONNE 6 PORTIONS

400 g (14 oz) de pois chiches en conserve, égouttés et rincés   *jus de ½ citron*
½ gousse d'ail, écrasée   *un peu de yogourt grec*
4 c. à soupe de tahini (beurre de sésame)   *(à culture bactérienne active)*

Mettez les pois chiches, l'ail, le tahini et le jus de citron dans le bol du robot de cuisine. Mélangez jusqu'à consistance homogène, en ajoutant un peu de yogourt grec, au goût.

Trempette au fromage

Crémeux et savoureux, ce délice accompagne très bien les morceaux
de pomme, d'ananas et de poire.

DONNE 4 PORTIONS

50 g (2 oz) de gruyère ou de
cheddar doux, râpé

2 c. à soupe de yogourt nature
1 c. à soupe de beurre, ramolli

Mettez le fromage, le yogourt et le beurre dans un bol. Battez ensemble jusqu'à consistance homogène et onctueuse.

Bouillie magique de champignons

Je qualifie ce plat « magique » non parce qu'il contient des champignons
hallucinogènes, mais plutôt parce que, malgré leur aversion naturelle contre ces
végétaux, les tout-petits consentent à les manger apprêtés ainsi. Utilisez-le
comme trempette ou garniture de sandwich.

DONNE 8-10 PORTIONS

1 c. à soupe d'huile d'olive
1 petit oignon, haché fin
225 g (8 oz) de champignons, brossés
et hachés fin

½ gousse d'ail, pelée et écrasée
2 c. à soupe de persil haché fin
350 g (12 oz) de haricots cannellini
en conserve, égouttés et rincés

Chauffez l'huile et faites revenir l'oignon environ 10 minutes, pour attendrir. Ajoutez les champignons, l'ail et le persil, puis continuer de cuire environ 15 minutes. Déposez dans le bol du robot de cuisine avec les haricots et mélangez jusqu'à consistance homogène. Refroidissez avant de servir.

SANDWICHS

Voici quatre recettes de mini-sandwichs très amusants pour les bébés, qui adorent manger avec les doigts. À cet âge, la plupart des tout-petits préfèrent le pain blanc à celui de blé entier, et même si le pain blanc contient moins de fibres, cela n'est pas un problème dans un régime végétarien.

Croque-bébé

DONNE ENVIRON 6 MINI-SANDWICHS

2 tranches minces de pain de mie blanc
1 c. à café de beurre, ramolli
1 c. à café de confiture non sucrée

25 g (1 oz) de gruyère ou de cheddar doux, râpé

Beurrez le pain, puis tartinez de confiture. Couvrez une des tranches de fromage râpé et réunissez ensuite les deux tranches en sandwich. Coupez en petits sandwichs rectangulaires.

Sandwich hawaïen

Utilisez du fromage à la crème non allégé pour les bébés, pour qu'ils consomment suffisamment de calories. Variez cette combinaison en remplaçant l'ananas par de la pêche pelée et hachée ou de la banane écrasée.

DONNE ENVIRON 6 MINI-SANDWICHS

1 c. à soupe de fromage à la crème
1 tranche d'ananas, pelée et évidée

2 tranches minces de pain de mie blanc

Mettez le fromage à la crème et l'ananas dans le bol du robot de cuisine et mélangez jusqu'à consistance homogène. Tartinez les tranches de pain de ce mélange, puis réunissez en sandwich. Coupez en mini-sandwichs rectangulaires ou découpez avec des emporte-pièce aux formes amusantes.

Sandwichs à l'œuf et au cresson

À cet âge, les bébés ne peuvent pas manger de blancs d'œufs, car
ces protéines sont trop complexes pour leur système digestif. Mais le jaune
est pour eux une bonne source de protéines et d'énergie. Choisissez
du cresson doux pour ne pas traumatiser le palais de votre petit.

DONNE ENVIRON 6 MINI-SANDWICHS

2 *tranches minces de pain de mie blanc*
1 *c. à café de beurre, ramolli*
1 *œuf*

1 *c. à soupe de yogourt grec*
(à culture bactérienne active)
½ *botte de cresson, haché*

Beurrez les tranches de pain. Cuisez l'œuf dans l'eau bouillante 10 minutes, trempez-le immédiatement dans l'eau froide (pour empêcher que le jaune brunisse). Enlevez la coquille et le blanc de l'œuf et conservez-le pour un autre usage. Écrasez le jaune d'œuf en y incorporant le yogourt. Tartinez les tranches de pain de ce mélange, parsemez de cresson et réunissez en sandwich. Coupez en petits sandwichs.

Délices de la panthère rose

La garniture rosée de ce sandwich est très savoureuse et plaît bien
aux bébés. Utilisez le surplus pour le servir aux adultes (en y ajoutant
des assaisonnements et de la moutarde).

DONNE ENVIRON 6 MINI-SANDWICHS

200 g (7 oz) *de haricots jaunes*
en conserve, égouttés et rincés
2 *tomates*

2 *tranches minces de pain de mie blanc*
1 *c. à café de beurre, ramolli*

Mettez les haricots égouttés dans le bol du robot de cuisine. Pour peler les tomates, faites une incision en croix sur la base et plongez 15 secondes dans l'eau bouillante. Plongez-les ensuite dans un bol d'eau glacée. Pelez et épépinez les tomates, puis hachez la pulpe. Ajoutez les tomates aux haricots et mélangez pour obtenir une purée homogène. Beurrez les tranches de pain, puis déposez dessus à la cuiller la garniture haricots-tomates et réunissez en sandwich. Coupez en petits sandwichs.

Biscottes

Tous les bébés aiment croquer des biscottes, qu'ils peuvent aussi manger émiettées dans un bol avec du lait maternel ou maternisé. Ces biscottes maison sont faciles à préparer, absolument délicieuses, et habituellement moins sucrées que les variétés commerciales.

DONNE 36 BISCOTTES

450 g (3 t.) de farine blanche
2 c. à café de crème de tartre
1 c. à café de bicarbonate de soude
75 g (⅓ t.) de sucre

100g (½ t.) de beurre
1 œuf, battu
250 ml (1 t.) de babeurre

Tamisez ensemble la farine, la crème de tartre et le bicarbonate. Incorporez le sucre et émiettez le beurre dans le mélange de farine avec les doigts, pour obtenir une pâte granuleuse. Battez ensemble l'œuf et le babeurre, et versez sur la pâte. Pétrissez pour amalgamer et former une boule à peine ferme. Avec les doigts, étendez la pâte également sur une plaque de cuisson huilée de 20 x 33 cm (8 x 13 po). Démarquez en 36 languettes avec un couteau bien aiguisé et cuisez au four à 200 °C (400 °F) 30 minutes. Retirez les biscottes du four, coupez en languettes et disposez sur des clayettes. Abaissez la chaleur du four à 120 °C (250 °F) et remettez-y les biscottes, pour les rendre bien croquantes. Quand les biscottes sont refroidies, rangez-les dans un contenant hermétique.

Pain doré spécial bébé

Le pain doré ordinaire se prépare avec des œufs entiers et du sucre.
Cette version convient mieux à votre bébé.

DONNE 2 PORTIONS

1 *tranche épaisse de pain de mie blanc*
1 *jaune d'œuf*
2 *c. à soupe de crème fraîche ou sûre*

1 *noix de beurre*
2 *c. à soupe de purée de pomme,*
banane, abricot ou mangue

Battez le jaune d'œuf avec la crème dans un bol pour obtenir un mélange très homogène. Déposez la tranche de pain dans le bol et faites tremper des deux côtés jusqu'à absorption complète de l'œuf. Chauffez le beurre dans une poêle sur feu moyen et faites frire des deux côtés le pain imbibé d'œuf, pour faire dorer. Coupez en 8 languettes et servez avec la purée de pomme.

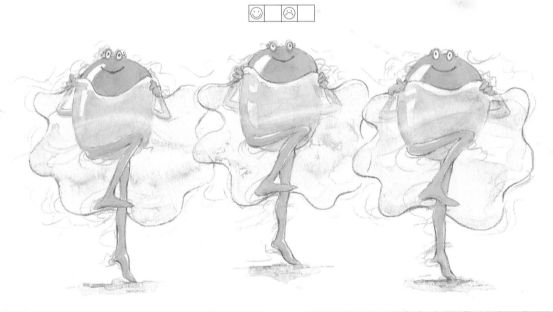

PLATS DE RÉSISTANCE

Macaronis au fromage

Tout petit, mon fils adorait ce plat et en aurait mangé presque tous les jours.
Pour varier, vous pouvez ajouter à la sauce au fromage des petits pois
ou des grains de maïs cuits.

DONNE 10 PORTIONS

75 g (3 oz) de macaronis   300 ml (1 ¼ t.) de lait
3 c. à soupe de beurre   75 g (3 oz) de gruyère ou de cheddar doux, râpé
3 c. à soupe de farine   1 c. à soupe de chapelure

Cuisez les macaronis selon les indications sur l'emballage, puis égouttez. Faites fondre le beurre à feu moyen dans une casserole, puis ajoutez la farine en mélangeant bien et cuisez 2 minutes, sans colorer. En battant au fouet, incorporez le lait au mélange et portez à ébullition pour épaissir la sauce. Ensuite, faites mijoter 3 à 4 minutes, puis retirez du feu et incorporez les deux tiers du fromage.

Ajoutez les macaronis à la sauce au fromage et touillez bien, puis mettez dans un plat à gratin peu profond. Mélangez ensemble le reste du fromage et la chapelure, et parsemez sur les macaronis. Placez sous le gril chaud, pour faire bouillonner la sauce et gratiner.

47

Sauce napolitaine

Cette sauce rapide et facile peut servir de base à de nombreux plats. Servez-la sur toutes sortes de pâtes, ou encore des gnocchis. Pour varier, ajoutez-y des légumes cuits et du fromage, selon les goûts de votre bébé.

DONNE 6 PORTIONS

2 c. à soupe d'huile d'olive
½ gousse d'ail, pelée et écrasée
2 c. à café de basilic frais haché

2 c. à café de persil plat frais haché
350 g (12 oz) de tomates en conserve,
sans sel, hachées

Chauffez l'huile dans une casserole, puis ajoutez l'ail et les fines herbes, et faites revenir 2 minutes. Incorporez les tomates et laissez mijoter à découvert environ 15 minutes, pour faire réduire et épaissir la sauce (en remuant de temps en temps).

Sauce hoummos

Cette sauce pour les pâtes se prépare en quelques minutes et est donc idéale pour les occasions si fréquentes où le temps nous manque.

DONNE 6 PORTIONS

2 c. à café d'huile d'olive
2 oignons verts, hachés fin

4 c. à soupe d'hoummos (voir p. 40)
1 à 2 c. à soupe de lait

Chauffez l'huile dans une casserole et faites revenir les oignons, pour attendrir et colorer. Ajoutez l'hoummos et assez de lait pour obtenir une consistance de sauce onctueuse, puis laissez mijoter 5 minutes. Servez sur des pâtes minuscules (de type de celles qu'on met dans la soupe).

Sauce poivron rouge

Les poivrons rouges sont très riches en vitamine C, qui facilite l'absorption
du fer contenu dans le persil. Et en prime, cette sauce est vraiment savoureuse.
Servez-la sur des pâtes, des gnocchis ou même du riz.

DONNE 6 PORTIONS

2 c. à café d'huile d'olive
2 poivrons rouges, épépinés et hachés
½ petit oignon, pelé et haché
¼ gousse d'ail, pelée et hachée fin

4 c. à soupe de tomates en conserve,
sans sel, hachées
2 c. à café de persil frais haché
1 pincée de sucre

Chauffez l'huile dans une casserole, puis ajoutez les poivrons, l'oignon, l'ail et
les tomates. Laissez mijoter 15 à 20 minutes, pour bien attendrir. Incorporez le
persil et le sucre, puis cuisez encore 2 à 3 minutes. Versez dans le bol d'un robot
de cuisine et réduisez en sauce onctueuse.

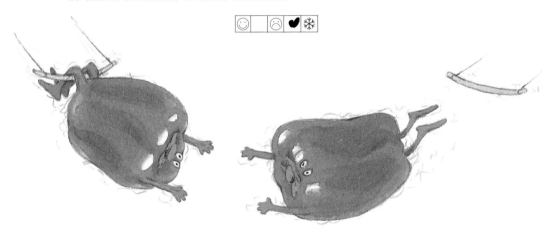

Couscous aux fruits

N'oubliez pas de laver à fond les fruits secs avant de les utiliser :
pour mieux se conserver, ils sont presque toujours enduits
d'une huile minérale potentiellement dangereuse.

DONNE 10 PORTIONS

50 g (2 oz) d'abricots secs, hachés
50 g (2 oz) de raisins secs
25 g (1 oz) de crème de noix de coco
(disponible dans le commerce), râpée

1 c. à soupe de sucre de canne brut
¼ c. à café de cannelle
100 g (4 oz) de couscous

Mettez les abricots et les raisins dans une casserole avec assez d'eau pour couvrir. Portez à ébullition et faites mijoter environ 10 minutes, pour bien attendrir. Dans une autre casserole, mélangez la noix de coco, le sucre et la cannelle avec 300 ml (2 ¼ t.) d'eau. Portez lentement à ébullition en remuant, pour faire dissoudre la noix de coco et le sucre. Incorporez le couscous, couvrez, retirez du feu et laissez reposer 3 à 5 minutes, jusqu'à absorption complète de l'eau. Séparez les grains de couscous à la fourchette. Égouttez les fruits secs et incorporez au couscous.

☺ ☹ ❄

Khichri

Ce plat de l'État indien de Gujarat est là-bas un plat classique pour les tout-petits. Il ajoutera de l'exotisme au menu des repas de votre bébé.

DONNE 10 PORTIONS

50 g (2 oz) de lentilles roses
1 lamelle d'ail
1 lamelle de gingembre frais, pelée
½ feuille de laurier

1 tomate, pelée, épépinée et hachée fin
50 g (¼ t.) de riz basmati
1 à 2 c. à soupe de yogourt nature

Lavez à fond et triez les lentilles, puis mettez dans une casserole avec l'ail, le gingembre et le laurier. Couvrez d'eau et portez à ébullition, puis laissez mijoter 40 à 50 minutes, pour bien attendrir (en ajoutant de l'eau si nécessaire : les lentilles devraient avoir la consistance d'un potage épais). Retirez et jetez le gingembre, l'ail et le laurier, puis incorporez la tomate et cuisez encore 5 minutes.

Entre-temps, lavez bien le riz à l'eau courante et cuisez selon les indications sur l'emballage, pour bien attendrir. Égouttez, puis ajoutez aux lentilles et incorporez le yogourt. Pour les jeunes bébés, réduisez le tout en purée.

Risotto aux légumes printaniers

Les bébés aiment bien ce riz, et le joli vert des légumes
de ce plat leur plaît beaucoup.

DONNE 6-8 PORTIONS

225 g (8 oz) de jardinière de légumes verts
(ex. jeunes pois, courgettes, haricots)
1 c. à café d'huile d'olive
1 noix de beurre

3 oignons verts, hachés fin
150 g (¾ t.) de riz arborio
500 ml (2 t.) de bouillon de légumes, fait maison
½ c. à café d'origan sec

Préparez la jardinière de légumes et cuisez à la vapeur 8 à 10 minutes, pour bien attendrir. Chauffez l'huile et le beurre à feu doux dans une casserole, puis ajoutez les oignons et cuisez pour attendrir. Incorporez le riz et mélangez bien. Continuez de cuire, pour que le riz s'opacifie mais sans colorer. Faites bouillir le bouillon dans une autre casserole et maintenez-le chaud. Versez le tiers du bouillon sur le riz et continuez la cuisson à feu doux environ 10 minutes, jusqu'à absorption du bouillon en mélangeant. Puis ajoutez un autre tiers du bouillon avec les légumes cuits et l'origan, et cuisez jusqu'à absorption du liquide. Enfin, versez le reste du bouillon et laissez cuire le riz jusqu'à ce qu'il soit bien tendre et que tout le bouillon soit absorbé. Pour les jeunes bébés, réduisez le risotto en purée.

Chou-fleur et brocoli au fromage

Pour rendre ce plat plus nutritif, ajoutez à la sauce
une poignée de petites pâtes cuites en même temps que les légumes.

DONNE 12 PORTIONS

175 g (6 oz) de fleurettes de chou-fleur
175 g (6 oz) de fleurettes de brocoli
SAUCE AU FROMAGE
2 c. à soupe de beurre

2 c. à soupe de farine
300 ml (1 ¼ t.) de lait
100 g (4 oz) de gruyère ou
de cheddar, râpé

Lavez les légumes et cuisez à la vapeur environ 10 minutes, pour attendrir. Pour la sauce au fromage : faites fondre le beurre dans une casserole, incorporez la farine et cuisez à feu doux 1 à 2 minutes, en remuant constamment. En battant au fouet, versez le lait et continuez de battre jusqu'à épaississement, puis laissez cuire 3 à 4 minutes. Retirez du feu, incorporez le fromage et ajoutez les légumes. Réduisez en purée dans un robot de cuisine ou écrasez à la fourchette.

Gratin de pommes de terre

C'est un des plats favoris que mangeait mon fils à la garderie.
J'utilise habituellement du cheddar pour cette recette,
mais vous pouvez lui substituer du gruyère ou du gouda.

DONNE 8-10 PORTIONS

450 g (1 lb) de pommes de terre
beurre et lait pour la purée

150 g (5 oz) de fromage cottage
100 g (4 oz) de cheddar, râpé

Faites bouillir les pommes de terre dans de l'eau non salée, pour bien attendrir. Égouttez et réduisez en purée homogène avec un peu de beurre et de lait. Incorporez le fromage cottage et la moitié du fromage râpé. Déposez la purée dans un plat à gratin peu profond et garnir du reste de fromage râpé. Placez sous le gril chaud pour faire gratiner.

Ratatouille

Vous pouvez ajouter à ce plat un peu de purée de pommes de terre et garnir de fromage râpé. On peut aussi l'accompagner de petites pâtes ou de riz.

DONNE 8-10 PORTIONS

sel
1 grosse aubergine, tranchée
2 courgettes, tranchées
2 c. à soupe d'huile d'olive
1 gros oignon, pelé et haché
1 gousse d'ail, pelée et hachée fin

½ poivron vert, épépiné et haché
½ poivron rouge, épépiné et haché
200 g (7 oz) de tomates en conserve,
sans sel, hachées
1 c. à soupe de basilic frais, haché

Salez les tranches d'aubergine et de courgettes, déposez dans une grande passoire et posez un poids dessus. Laissez dessaler 30 minutes, puis rincez les tranches, essuyez avec du papier de cuisine et hachez.

Chauffez l'huile dans un faitout, ajoutez l'oignon et faites revenir, mais sans colorer. Incorporez l'ail, l'aubergine, les courgettes et les poivrons. Couvrez et cuisez environ 30 minutes, pour attendrir. Ajoutez les tomates et le basilic, puis laissez mijoter à découvert 30 minutes. Pour les jeunes bébés, réduisez la ratatouille en purée.

Chou rigolo

Cette recette semble être l'une des rares façons acceptables d'apprêter
le chou pour les bébés. Quand votre petit aura plus de deux ans, vous pourrez
façonner des petites croquettes que vous ferez frire et servirez avec
des saucisses ou des burgers végétariens.

DONNE 8-10 PORTIONS

350 g (12 oz) de pommes de terre
350 g (12 oz) de jeune chou vert
1 poireau, bien lavé et haché fin

50 ml (¼ t.) de lait
1 noix de beurre

Pelez les pommes de terre et coupez en dés, puis cuisez dans l'eau bouillante environ 20 minutes, pour attendrir. Entre-temps, lavez à fond le chou, puis jetez les feuilles foncées et amères et retirez les parties dures du cœur. Coupez en fines lanières et cuisez à la vapeur environ 20 minutes, pour très bien attendrir. Pochez le poireau dans le lait à feu doux environ 10 minutes, pour ramollir. Réduisez les pommes de terre en purée avec le mélange de poireau et lait, puis ajoutez le beurre et incorporez le chou.

Curry de légumes verts et blancs

Ne craignez pas d'offrir un curry à votre bébé. Ce plat délicatement épicé ne contient pas de piments et ne possède pas le feu d'un *vindaloo* typique dans un restaurant indien. Mon fils a goûté assez tôt à des quantités modérées d'épices et cela lui a permis par la suite d'être beaucoup moins intimidé par les nouvelles saveurs que ses petits camarades.

DONNE 12 PORTIONS

225 g (8 oz) d'épinards congelés
1 c. à soupe d'huile végétale
50 g (2 oz) de poireau, haché fin
1 gousse d'ail, pelée et hachée fin
225 g (8 oz) de pommes de terre, pelées et coupées en dés

1 tomate moyenne, pelée, épépinée et hachée fin
1 c. à soupe de yogourt nature
¼ de c. à café de garam marsala

Cuisez les épinards selon les indications sur l'emballage. Égouttez, en enlevant autant d'eau que possible, puis hachez fin dans le robot de cuisine. Chauffez l'huile dans un faitout, ajoutez le poireau et l'ail et faites revenir, pour attendrir. Ajoutez les pommes de terre, les épinards et la tomate, cuisez 2 minutes, puis incorporez le yogourt et continuez la cuisson pour obtenir une consistance onctueuse. Ajoutez un peu d'eau, couvrez et faites mijoter jusqu'à ce que les pommes de terre sont bien tendres. Parsemez le garam marsala sur les légumes et cuisez encore 5 minutes, puis réduisez en purée ou écrasez à la fourchette le curry, selon l'âge de votre bébé. Servez avec du riz ou des languettes de pain *nan* ou *pita* et un peu de yogourt nature.

Sambar aux lentilles

La plupart des bébés adorent le goût de la noix de coco qui,
dans ce plat, s'allie aux fraîches saveurs des légumes.

DONNE 12 PORTIONS

75 g (3 oz) de lentilles roses, lavées et triées
½ gousse d'ail, pelée et émincée
1 mince tranche de racine de gingembre, pelée

100 g (4 oz) de jardinière de légumes
(ex. chou-fleur, haricots verts, pommes de terre)
1 tomate moyenne, pelée, épépinée et hachée
25 g (1 oz) de crème de noix de coco, râpée

Mettez les lentilles dans une casserole avec l'ail et le gingembre, couvrez d'eau et faites mijoter 30 à 40 minutes en ajoutant de l'eau si nécessaire, pour attendrir (consistance d'une purée). Retirez le gingembre et jetez-le. Coupez les légumes en petits morceaux et cuisez à la vapeur, pour attendrir. Incorporez la tomate et la noix de coco aux lentilles en mélangeant bien et continuez la cuisson encore 5 minutes. Ajoutez les légumes cuits, puis écrasez ou réduisez en purée pour obtenir la consistance désirée. Servez avec du riz.

Goulash végétarienne

Le paprika est une bonne épice à faire connaître tôt aux bébés, qui semblent apprécier sa douceur piquante. Pour les tout-petits plus âgés, vous pouvez essayer d'ajouter quelques graines de carvi pour donner une saveur plus authentique.

DONNE 12 PORTIONS

2 c. à café d'huile végétale
½ petit oignon, pelé et haché
1 petite carotte, pelée et hachée fin
½ poivron vert, pelé, épépiné et haché fin
½ poivron rouge, pelé, épépiné et haché fin
1 pincée de paprika doux
100 g (4 oz) de champignons, brossés et hachés

1 pomme de terre moyenne, pelée
et coupée en dés
2 c. à soupe de purée de tomate
200 g (7 oz) de haricots de Lima
en conserve, lavés et égouttés
100 g (½ t.) de riz basmati, cuit
1 à 2 c. à soupe de yogourt nature

Chauffez l'huile dans un faitout, puis faites revenir l'oignon, la carotte, les poivrons et le paprika, mais sans colorer. Ajoutez les champignons, couvrez et cuisez à feu doux 15 minutes. Incorporez la pomme de terre, la purée de tomate et les haricots et faites mijoter 30 minutes en ajoutant un peu d'eau si nécessaire, pour bien attendrir la pomme de terre. Mélangez le riz aux légumes cuits, puis ajoutez le yogourt. Écrasez ou réduisez en purée pour obtenir la consistance désirée.

☺ ☹ ❄

Gratin de courgettes

La consistance onctueuse de ce plat à la saveur délicate plaît à tout coup aux jeunes gourmands. Vous pouvez le servir avec une purée de pois ou de haricots, et des morceaux de baguette pour tremper dans la sauce. Ce plat se congèle mal, alors il vaut mieux le réserver pour les occasions où vous avez plusieurs jeunes convives.

DONNE 10 PORTIONS

2 c. à soupe de beurre
2 c. à soupe de farine
250 ml (1 t.) de lait
50 g (2 oz) de gruyère ou d'emmenthal, râpé

1 pincée de muscade râpée
225 g (8 oz) de courgettes, brossées et hachées
40 g (1 ½ oz) de chapelure fraîche

Faites fondre le beurre dans une casserole, incorporez la farine et cuisez 2 minutes en remuant constamment. Incorporez le lait et portez à ébullition, puis cuisez à feu doux 3 à 4 minutes en remuant avec un fouet. Retirez du feu, incorporez le fromage et la muscade, puis laissez refroidir. Cuisez les courgettes à la vapeur 5 à 10 minutes, pour attendrir. Asséchez sur du papier de cuisine et ajoutez à la sauce au fromage. Versez dans un plat à gratin, parsemez de chapelure et mettez au four à 200 °C (400 °F) 15 à 20 minutes, pour faire bouillonner la sauce et dorer le dessus.

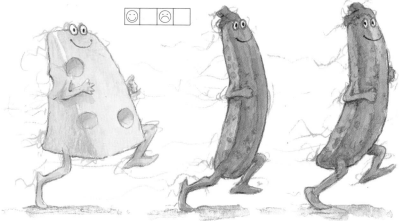

PETITES DOUCEURS

Parfait à la fraise

La crème pâtissière instantanée en poudre (sans colorant ni additifs) convient parfaitement pour ce dessert. J'utilise ici des fraises, mais vous pouvez aussi les remplacer par des framboises (en filtrant la purée à la passoire pour enlever les graines) ou des bleuets, en ajoutant un peu de sucre ou de jus de pomme concentré si ces baies sont trop acidulées. Les pruneaux en conserve dans un jus de fruit sont aussi excellents.

DONNE 6 PORTIONS

225 g (8 oz) de fraises, lavées et équeutées
150 ml (⅔ t.) de crème pâtissière

150 ml (⅔ t.) de yogourt grec
(à culture bactérienne active)

Réduisez les fraises en purée au mélangeur ou au robot de cuisine, puis ajoutez la crème et le yogourt, et mélangez environ 30 secondes. Versez dans des coupes ou des ramequins individuels et réfrigérez pour bien refroidir avant de servir.

☺ ☹ ❄

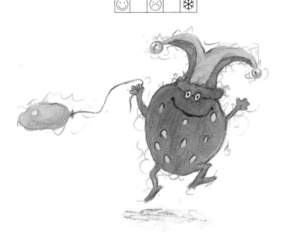

Pudding au riz

Ce pudding est très facile à préparer et les bébés l'aiment tiède ou froid.
L'ajout de lait évaporé le rend plus riche et crémeux. Pour varier, ajoutez-y
des raisins ou abricots secs lavés et hachés.

DONNE 10 PORTIONS

1 *noix de beurre*
600 *ml (2 ½ t.) de lait (1 petite boîte de lait*
évaporé + lait ordinaire)

65 *g (⅓ t.) de riz*
3 *c. à soupe de sucre*
un peu de muscade râpée (facultatif)

Beurrez un plat à four peu profond et mettez-y le lait, le riz et le sucre. Parsemez de muscade (facultatif). Couvrez d'une feuille d'aluminium et cuisez au four 2 heures à 150 °C (300 °F).

Gruau à la banane

À servir au petit-déjeuner ou comme dessert. Vous pouvez congeler le gruau
sans la banane et ajouter celle-ci juste avant de servir.

DONNE 4-6 PORTIONS

300 *ml (1 ¼ t.) de lait*
40 *g (1 ½ oz) de flocons d'avoine*

1 *petite banane*

Versez le lait dans une casserole, ajoutez les flocons d'avoine et portez à ébullition en remuant constamment. Faites mijoter le nombre de minutes indiqué sur l'emballage, pour rendre crémeux. Retirez du feu et laissez refroidir. Écrasez la banane et incorporez au gruau.

Gelée aux fruits

C'est un aliment facile et amusant pour votre bébé, qui accompagne bien le yogourt et la crème glacée. Les gelées commerciales utilisent de la gélatine dérivée des os et des sabots du bétail. Cette recette végétarienne utilise de l'agar-agar (disponible en magasins d'aliments naturels) et du jus de fruit.

DONNE 8 PORTIONS

1 c. à café d'agar-agar
300 ml (1 ¼ t.) de jus de fruit (ex. poire,
pomme et cassis ou pomme et fraise)

100 g (4 oz) de fruits frais, hachés fin
(ex. banane, kiwi, pêches pelées et fraises)
(facultatif)

Faites dissoudre l'agar-agar selon les indications sur l'emballage, puis incorporez au jus de fruit. Ajoutez les fruits hachés (facultatif). Versez la gelée dans un grand moule ou de petits moules individuels et réfrigérez pour faire prendre.

Crème au chocolat

Vous pouvez servir ce dessert avec des tranches de poire, que votre bébé
trempera dans la crème. Mais attention aux dégâts!

DONNE 5 PORTIONS

2 c. à café de cacao
1 c. à café de sucre de canne brut

1 c. à soupe de farine de maïs
300 ml (1 ¼ t.) de lait

Faites dissoudre le cacao, le sucre et la farine dans un peu du lait. Chauffez le
reste du lait presque jusqu'à ébullition, puis versez sur le cacao et mélangez
bien. Reversez le mélange dans la casserole et portez à ébullition en remuant constamment jusqu'à épaississement. Laissez refroidir, puis réfrigérez jusqu'au moment
de servir.

Muesli des petits

Les céréales pour bébés commerciales sont souvent chères et contiennent
beaucoup de sucre raffiné. La noix de coco de cette recette ajoute une note
délicieuse, sans calories vides. Vous pouvez faire macérer ce muesli dans le lait
toute la nuit (au frigo) pour lui donner une consistance crémeuse et aussi y
ajouter de la pomme râpée ou de la banane hachée.

DONNE 8-10 PORTIONS

50 g (⅓ t.) d'avoine
1 morceau de Weetabix

1 c. à soupe de noix de coco sèche râpée

Mettez tous les ingrédients dans un robot de cuisine et réduisez en poudre fine.
Conservez ce muesli dans un contenant hermétique.

MENU DE SIX À NEUF MOIS

Comme votre bébé dépend moins à cet âge de ses boires de lait, essayez de lui offrir une grande variété d'aliments, vu qu'il tolère maintenant le gluten et les produits non laitiers.

LISTE
D'INGRÉDIENTS

Agar-agar
Avoine
Cacao
Couscous
Crème pâtissière
Épices
Épinards congelés
Fines herbes
Fromage frais
Fromage
Fromage cottage
Fruits secs
Fruits et légumes frais
Jus de fruits
Lentilles roses
Noix de coco
  (crème et râpée)
Œufs
Pain
Petites pâtes
Pois chiches
  (en conserve)
Purée de tomate
Riz
Tahini
Tomates
  (en conserve)
Weetabix
Yogourt grec

	Matin	Sieste*	Midi	Soir	Coucher
Jour 1	Weetabix avec banane	Lait maternel ou maternisé	Gratin de pommes de terre Pomme au four Jus de fruit	Potage de pomme et panais Melon Jus de fruit	Lait maternel ou maternisé
Jour 2	Muesli des petits avec poire râpée	Lait maternel ou maternisé	Pâtes avec sauce napolitaine Fromage frais Jus de fruit	Chou-fleur et brocoli au fromage Papaye Jus de fruit	Lait maternel ou maternisé
Jour 3	Gruau à la banane	Lait maternel ou maternisé	Khichri Crème au chocolat Jus de fruit	Crème de tomate rapide Languettes de toast Fromage frais Jus de fruit	Lait maternel ou maternisé
Jour 4	Jaune d'œuf dur écrasé Languettes de toast Purée d'abricot	Lait maternel ou maternisé	Couscous aux fruits Parfait à la fraise Jus de fruit	Curry de légumes Gelée aux fruits Jus de fruit	Lait maternel ou maternisé
Jour 5	Weetabix avec pêche hachée	Lait maternel ou maternisé	Pâtes avec sauce hoummos Kiwi Jus de fruit	Ratatouille Purée de pomme de terre Fromage frais Jus de fruit	Lait maternel ou maternisé
Jour 6	Muesli des petits avec pruneaux en conserve	Lait maternel ou maternisé	Risotto aux légumes printaniers Poire Jus de fruit	Croque-bébé Pudding au riz Jus de fruit	Lait maternel ou maternisé
Jour 7	Gruau avec pruneaux en conserve	Lait maternel ou maternisé	Sambar aux lentilles Purée de banane Jus de fruit	Trempette d'avocat et fromage cottage Crudités Fromage frais	Lait maternel ou maternisé

* Répétez après les repas du midi et du soir

NOTE : *Dans tous les menus, les recettes présentées dans ce livre sont en caractères gras.*

CHAPITRE QUATRE

De neuf à douze mois
LA QUÊTE DE L'INDÉPENDANCE

Quand votre bébé approche de son premier anniversaire, son développement semble ralentir alors que sa curiosité et son individualité augmentent. Côté alimentation, son appétit n'est plus le seul facteur qui contribue au succès d'un repas, si on peut mesurer ce succès à la quantité de nourriture ingérée sans chichi et en un temps raisonnable. Dans vos tentatives pour bien nourrir votre petit, vos nerfs sont parfois mis à rude épreuve! À ce sujet, le père de mon fils me répète souvent un vieil adage indien qui se traduit à peu près ainsi: «Vos enfants vous enseignent la patience comme personne d'autre ne le pourrait.» Et c'est une très bonne chose, car vous aurez besoin d'énormément de patience durant les prochaines années, surtout à l'heure des repas.

À ce stade-ci, votre bébé sait s'asseoir dans une chaise haute et il a déjà quelques dents. Vu ses progrès, il ne tolérera plus dorénavant l'ignominie d'être forcé par des adultes dominateurs à manger certains aliments. Maintenant qu'il en connaît un peu le scénario, il veut tenir un rôle de vedette dans le film de sa vie. Bien sûr, les parents adroits feront croire à leur petit qu'eux-mêmes ne sont que des figurants dans cette grande production. Une première façon d'y parvenir est d'inclure des aliments à manger avec les doigts (ex. des morceaux de légumes cuits à la vapeur) à chacun des repas de votre tout-petit afin qu'il explore son autonomie.

C'est un bon moment pour acheter des bols à ventouse, des tasses qui ne se renversent pas et des cuillers de bébé supplémentaires (pour qu'il puisse en manipuler une pendant que vous le nourrissez). Prévoyez aussi beaucoup de détersif pour la lessive! Détendez l'ambiance des repas de votre enfant en lui laissant le temps de jouer pendant qu'il mange. Plus facile à dire qu'à faire quand on est pressé et que junior est en train de faire des montagnes de céréales, mais comme il ne peut encore comprendre les compromis, vous devrez en faire à sa place... quitte à mettre le réveil plus tôt le matin !

Cette nouvelle situation a toutefois un aspect positif: vous n'avez plus à préparer des repas spéciaux (en salant vos propres plats à part), congeler des mini-portions d'aliments et éviter les saveurs intéressantes. Vous devez encore modérer les quantités de sucre et de sel, peler les fruits crus et ne pas donner à votre bébé des noix entières, des œufs non cuits et des fromages non pasteurisés, mais à peu près tout le reste est permis. Vous pouvez maintenant choisir des éléments convenant à votre petit dans presque tous les menus, même si ce n'est que du pain et du fromage. Lorsque vous voyagez par contre, il est prudent d'apporter quelques sandwichs, des fruits et une boisson.

L'ART DU COMPROMIS

Les parents consciencieux tombent facilement dans le piège d'imposer une alimentation idéale à leurs enfants sans considérer que, comme nous, ils sont des personnes ayant droit à leurs préférences (tant qu'elles ne sont pas dangereuses). Il est donc vital d'établir un horaire qui convienne au bébé et à ses parents. Certains petits veulent manger dès qu'ils s'éveillent et préfèrent boire leur lait avant la sieste. Mon fils aimait du lait au réveil et son petit-déjeuner une heure plus tard environ : toutes les tentatives pour changer cette habitude ont échoué.

De plus, vous ne devriez pas croire que votre bébé aimera tout ce que vous lui présentez : certaines saveurs demandent qu'on s'y habitue. Si votre tout-petit refuse un plat, essayez de le lui représenter un peu plus tard. S'il le refuse systématiquement plusieurs fois, ce n'est pas par crainte de l'inconnu mais parce qu'il ne l'aime pas. Peut-être aussi est-il un grignoteur plutôt qu'un gros mangeur ; dans ce cas, essayez de modifier votre horaire pour permettre des repas plus légers et plus fréquents.

Votre instinct vous dira si votre petit est tout simplement têtu ou s'il exprime un désir profond. Quand ils percent leurs dents par exemple, certains enfants sont de mauvaise humeur et cela bouscule l'horaire des repas. Essayez alors d'offrir à votre bébé des morceaux de fruit refroidis pour calmer la douleur de ses gencives entre les repas. Et ne vous inquiétez pas s'il revient à une alimentation basée davantage sur le lait pendant cette période.

UN RÉGIME ÉQUILIBRÉ

Les bébés plus âgés ont encore besoin de 600 ml de lait par jour. Mais il n'est pas nécessaire de le leur donner en entier sous forme liquide : yogourt, sauce béchamel, fromage, etc. peuvent contribuer à ce quota. La plupart des tout-petits ingurgitent un boire substantiel de lait (au sein ou au biberon) le soir au coucher, qui les réconforte et les nourrit. Offrez aussi à votre petit une grande variété d'aliments, surtout pendant l'hiver quand ses vêtements chauds restreignent l'exposition à la lumière du soleil, indispensable pour la production de vitamine D. Les suppléments sont donc parfois nécessaires, mais ne devraient pas être substitués à un régime alimentaire sain.

Si vous croyez que votre bébé devrait prendre un supplément vitaminique liquide, il vaudrait mieux, puisqu'il est végétarien, lui donner celui qui contient du fer. Comme alternative à ce supplément, vous pouvez lui faire boire un lait enrichi contenant plus de vitamines A, C et D, du fer et d'autres vitamines et sels minéraux. Mais ce lait n'est pas nécessaire si vous utilisez encore le lait maternisé, qui est parfait jusqu'à l'âge de douze mois.

LES GOÛTERS

Vers cet âge, les bébés aiment bien manger entre les repas. Il n'y a rien de mal à cela, mais essayez de contrôler le type d'aliments consommés lors de ces goûters. S'il mange parfois une sucrerie (biscuit, chocolat, etc.), ce n'est pas grave. Mais des habitudes alimentaires acquises dans l'enfance se poursuivent souvent à l'âge adulte. Il vaut donc mieux l'encourager à prendre des goûters plus sains dès le début en lui offrant par exemple des gressins, des pailles au fromage, des fruits secs bien lavés, des morceaux de fruits et de légumes.

LES PRÉPARATIFS

Comme toutes les nouvelles mères avec leur premier enfant, j'ai stérilisé religieusement tout ce qui servait à nourrir mon petit pendant sa première année et je crois encore que c'est la meilleure façon de procéder. Mais à partir du moment où votre bébé commence à s'asseoir, une hygiène aussi stricte n'est plus nécessaire, car il commence alors à porter à sa bouche tout objet, jouet et poussière qu'il peut attraper.

Donc si vous lavez soigneusement les ustensiles et biberons de votre petit à l'eau chaude savonneuse en rinçant bien, vous n'avez pas à prendre d'autres précautions. Pour minimiser les risques de problèmes digestifs, ne conservez pas les aliments qui ont déjà été touchés par votre bébé ou sa cuiller et jetez le lait laissé dans les biberons.

Vous noterez que la plupart des recettes de ce chapitre recommandent la cuisson à la vapeur pour les légumes lorsque c'est possible.

Il a été démontré que ce mode de cuisson préserve plus de nutriments indispensables que la cuisson en immersion dans l'eau bouillante, tout en abîmant moins la texture des légumes. Il est acceptable aussi de faire sauter ou revenir à la poêle avec un peu de bonne huile d'olive, mais évitez de cuire à la grande friture. À cet âge, vous pouvez aussi commencer à offrir des légumes rôtis (pommes de terre et panais sont très appréciés). Pour rôtir, badigeonnez les légumes avec un peu d'huile (sans qu'ils baignent dedans), puis épongez-la avec du papier de cuisine avant de servir.

Quand on recommande des légumineuses fraîches plutôt qu'en conserve, faites-les toujours bouillir à feu vif au moins 10 minutes pour détruire toutes les toxines. Si vous substituez des légumineuses sèches à celles en conserve, diminuez la quantité de moitié car elles doublent de volume pendant le trempage.

Pour congeler les aliments de votre bébé, il est bien d'utiliser des contenants hermétiques et empilables, qui sont plus solides et plus faciles à étiqueter que les contenants de yogourt ou autres.

LA TEXTURE

Plusieurs des recettes proposées dans cet ouvrage peuvent être présentées aux bébés sans préparation additionnelle. Tel qu'il a été indiqué dans le chapitre précédent, il est très important de familiariser votre enfant à des aliments dotés d'une certaine texture. Sinon, il pourrait refuser plus tard tout ce qui n'est pas de la purée. Les habitudes régissent la vie des tout-petits : si vous ne leur offrez que des aliments en bouillie, c'est tout ce qu'ils voudront manger éventuellement. Certains petits s'habituent plus vite que les autres aux aliments en morceaux, mais cela est souvent en rapport direct avec l'apparition de leurs premières dents. Introduisez donc ce changement graduellement. Au début de cette phase, ne réduisez en purée que pendant quelques secondes, offrez aussi des aliments râpés et essayez de contraster les textures. Si vous désespérez de réussir et croyez que votre bébé ne pourra jamais s'habituer à consommer des aliments en morceaux, offrez-lui un biscuit recouvert de chocolat et constatez le résultat !

ENTRÉES ET GOÛTERS

Soupe des astronautes

Cette soupe maison à l'italienne est un vrai repas et mon fils l'aime bien avec du pain à l'ail. Quand il a été assez grand pour ne plus la manger en purée, il a insisté pour que j'y ajoute des pâtes en forme de fusées et d'étoiles, d'où son nom.

DONNE 12 PORTIONS

1 c. à soupe d'huile d'olive
1 petit oignon, pelé
et haché
1 gousse d'ail, pelée
et hachée fin
6 grosses tomates
mûres, pelées,
épépinées et hachées

350 g (12 oz) de haricots cannellini,
lavés et égouttés
200 g (7 oz) de petites pâtes
1 c. à soupe de persil plat haché
50 g (2 oz) de fromage, râpé
1 L (4 t.) de bouillon de légumes maison
poivre
un peu de basilic haché (facultatif)

Chauffez l'huile et faites revenir l'oignon à feu doux, pour attendrir. Ajoutez l'ail, les tomates, les haricots, les pâtes, le persil, deux tiers du fromage et le bouillon. Poivrez un peu, portez à ébullition et faites mijoter environ 30 minutes. Puis incorporez le basilic, laissez refroidir un peu et réduisez en purée grossière dans le robot de cuisine. Parsemez du reste du fromage et servez.

Potage de l'Halloween

J'ai inventé ce potage lors du premier Halloween de mon fils afin d'utiliser la pulpe de citrouille provenant de nos lanternes d'Halloween. Servez avec des crackers que votre bébé trempera dans le potage.

DONNE 6 PORTIONS

1 *noix de beurre*
1 *c. à café d'huile végétale*
1 *oignon moyen, pelé et haché*
225 g (8 oz) *de pulpe de citrouille,*
coupée en dés

225 g (8 oz) *de pommes, pelées,*
évidées et hachées
300 ml (1 ¼ t.) *de bouillon*
de légumes maison
300 ml (1 ¼ t.) *de jus de pomme*

Chauffez le beurre et l'huile dans une grande casserole, ajoutez l'oignon et faites revenir 5 à 10 minutes, pour attendrir mais sans colorer. Incorporez la citrouille et les pommes, mélangez bien, couvrez et faites suer à feu doux 20 minutes, en remuant de temps à autre. Versez le bouillon et le jus de pomme, portez à ébullition et faites mijoter 30 minutes, pour bien attendrir les fruits et légumes. Laissez refroidir un peu, puis réduisez en purée homogène.

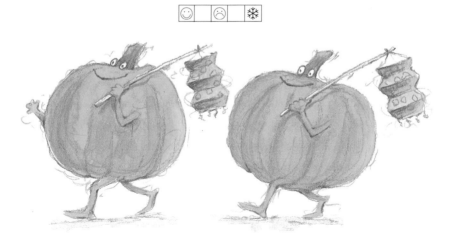

Gressins au sésame

Les bébés aiment bien mâchouiller ces bâtonnets de pain séché, parfaits pour faire patienter un jeune affamé avant un repas. Comme ils durcissent en refroidissant, ils sont aussi très utiles pour les tout-petits qui percent des dents. Ils sont faciles mais un peu longs à préparer et se conservent bien dans des contenants hermétiques.

DONNE ENVIRON 32 GRESSINS

450 g (1 lb) de farine
1 sachet de 7 g de levure rapide
50 g (¼ t.) de beurre
4 c. à soupe d'huile d'olive

200 ml (7 oz) d'eau tiède
1 œuf, battu
4 c. à soupe de graines de sésame

Mettez la farine et la levure dans un grand bol et faites un puits au centre. Chauffez le beurre et l'huile dans une petite casserole, pour faire fondre le beurre. Ajoutez l'eau dans la casserole, puis versez dans le puits de la farine. Mélangez en pâte, puis déposez sur une surface farinée et pétrissez 10 minutes, pour rendre la pâte souple et homogène.

Divisez la pâte en 32 parts et, avec les paumes farinées de vos mains, roulez en forme de cylindres d'environ 20 cm (8 po) de long. Disposez les bâtonnets sur une plaque à four huilée (assez espacés pour qu'ils puissent gonfler). Badigeonnez d'œuf battu, parsemez de graines de sésame et cuisez au four à 200 °C (400 °F) environ 20 minutes, pour faire dorer. Éteignez le four et laissez-y les gressins refroidir et devenir croquants.

Pailles au fromage

Un autre aliment amusant à grignoter pour les tout-petits. Pour un goûter plus nutritif, servez-les avec une des trempettes proposées dans ce livre.

DONNE ENVIRON 40 PAILLES

100 g (4 oz) de farine de blé entier
25 g (1 oz) de noix variées, hachées fin
ou moulues

50 g (¼ t.) de beurre
50 g (2 oz) de cheddar ou gruyère, râpé
1 œuf, battu

Tamisez la farine et incorporez les noix. Émiettez le beurre dans le mélange de farine. Incorporez le fromage, ajoutez l'œuf et mélangez. Pétrissez la pâte, puis étendez au rouleau sur une surface farinée jusqu'à environ 6 mm (¼ po) d'épais. Coupez en fines languettes et déposez sur une plaque huilée. Cuisez au four à 190 °C (375 °F) 12 à 15 minutes.

Épi de maïs au miel

Les bébés et les enfants adorent le maïs et le croquent avec plaisir. Cette préparation le rend délicieusement sucré.

DONNE 3-4 PORTIONS

1 épi de maïs
1 c. à soupe de beurre

1 c. à café de miel liquide
un peu de persil haché

Coupez le maïs en 3 ou 4 tranches (d'une taille que votre bébé pourra empoigner) et cuisez dans l'eau bouillante 5 à 10 minutes, pour attendrir les grains. Égouttez et asséchez. Chauffez le beurre et le miel ensemble dans une petite casserole, puis ajoutez le maïs. Cuisez à feu doux encore 5 minutes environ, en retournant fréquemment pour que le miel ne brûle pas. Décorez le maïs de persil, tiédir et servez.

Croquettes au fromage et à l'arachide

Les bébés aiment bien ces délicieuses croquettes, accompagnées
d'une purée de tomate ou de pomme.

DONNE ENVIRON 12 CROQUETTES

185 g (6 oz) de chapelure fraîche
100 g (4 oz) de cheddar ou gruyère, râpé
1 petit oignon, pelé et haché
1 petite carotte, pelée et hachée

1 c. à soupe de persil haché
1 c. à soupe de beurre d'arachide
2 œufs, séparés
un peu d'huile

Mettez deux tiers de la chapelure dans le bol du robot de cuisine avec le fromage, l'oignon, la carotte et le persil et réduisez en fin mélange. Ajoutez le beurre d'arachide et les jaunes d'œufs, puis mélangez pour obtenir une pâte collante. Divisez en 12 parts et roulez en boules. Trempez ces croquettes dans le blanc d'œuf battu, puis recouvrez du reste de chapelure. Huilez une plaque à four et déposez dessus les croquettes, puis cuisez au four à 190 °C (375°) environ 20 minutes (en les retournant à mi-cuisson), pour rendre dorées et croquantes. Servez tièdes ou froides.

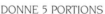

Tzatziki à la menthe

Très bonne avec les *falafels*, cette trempette est aussi délicieuse avec des
bâtonnets de carotte et de concombre ou des languettes de pain *nan*.

DONNE 5 PORTIONS

1 morceau de concombre de 2,5 cm (1 po)
150 ml (5 oz) de yogourt grec (à culture
bactérienne active)
1 c. à café de menthe hachée fin

Pelez, râpez et égouttez le concombre en le pressant dans les mains. Puis combinez le yogourt, le concombre et la menthe, et laissez reposer au moins 30 minutes, pour que le tzatziki prenne toute sa saveur.

Falafels

Ces petites croquettes légèrement épicées du Moyen-Orient se mangent très bien avec les doigts. Si vous craignez d'offrir des saveurs exotiques à votre bébé, n'incluez pas les épices : les falafels seront tout aussi bons.

DONNE ENVIRON 12 FALAFELS

400 g (14 oz) de pois chiches en conserve, rincés et égouttés
1 petit oignon, pelé et haché fin
1 petit poivron rouge, épépiné, haché fin et cuit à la vapeur
1 gousse d'ail, pelée et hachée fin

1 c. à soupe de persil plat (type italien) haché
¼ c. à café de cumin moulu
¼ c. à café de coriandre moulue
1 œuf, battu
un peu de farine
1 c. à soupe d'huile végétale

Mettez les 7 premiers ingrédients dans le bol du robot de cuisine et réduisez en purée grossière. Ajoutez l'œuf et mélangez un peu pour combiner. Divisez le mélange en 12 parts et façonnez en boules allongées avec les paumes des mains. Roulez chacune dans la farine et refroidissez 30 minutes.

Chauffez l'huile dans une grande poêle et cuisez les falafels à feu moyen environ 10 minutes en retournant fréquemment, pour faire bien dorer. Servez avec une purée de tomate ou le tzatziki à la menthe.

Salade bonne humeur

Cette salade haute en couleurs plaira d'abord à l'œil de votre petit avant de conquérir son palais. Une bonne façon de familiariser votre bébé aux salades, quand il pourra ingérer de plus grosses quantités de légumes crus.

DONNE 4 PORTIONS

1 *carotte, lavée, pelée et râpée fin*
1 *petite betterave cuite, râpée fin*
½ *pomme, pelée et hachée fin*
1 *c. à soupe de raisins secs, lavés*

½ *c. à soupe d'huile végétale*
½ *c. à café de vinaigre de cidre*
1 *pincée de sucre*
fromage râpé

Mettez la carotte, la betterave, la pomme et les raisins dans un bol et mélangez bien. Combinez l'huile et le vinaigre, puis sucrez. Versez cette vinaigrette sur les fruits et légumes, et touillez bien. Servez avec du fromage râpé.

Micro-pizzas

Comme votre bébé ne consomme que de petites portions, inutile de préparer une pâte à pizza pour lui seul. Pour l'initier aux plaisirs de la pizza, servez-lui plutôt cette version rapide et amusante.

DONNE 4 PORTIONS

2 *muffins anglais*
200 *g (7 oz) de tomates en conserve,*
hachées

1 *c. à soupe d'huile d'olive*
75 *g (3 oz) de mozzarella, râpée*
1 *c. à café d'origan haché*

éparez les muffins en deux. Mettez les tomates dans une petite poêle et ajoutez l'huile. Portez à ébullition et faites mijoter 15 minutes en remuant de temps à autre, pour faire épaissir. Égouttez le surplus de liquide, passez la sauce tomate à la passoire pour épépiner, puis réduisez en purée et laissez refroidir. Puis badigeonnez les demi-muffins de sauce, couvrez de fromage et parsemez d'origan. Cuisez au four à 230 °C (450 °F) 10 à 12 minutes, pour faire bouillonner et gratiner.

Salade de riz

N'utilisez pas de reste de riz pour préparer cette salade, à moins qu'il ne soit encore tiède : il lui faut de la chaleur pour prendre toute sa saveur. Pour varier, utilisez des haricots verts, des champignons, des haricots, un peu d'orange et d'ananas frais.

DONNE 10 PORTIONS

150 g (¾ t.) de riz basmati
½ petit poivron vert, épépiné, haché fin
et cuit à la vapeur
50 g (2 oz) de petits pois congelés, cuits
50 g (2 oz) de maïs congelé, cuit

2 c. à soupe de raisins de Corinthe secs
2 c. à soupe d'huile d'olive
1 c. à soupe de jus d'orange
½ gousse d'ail, écrasée
un peu de persil plat (type italien), haché

uisez le riz selon les indications sur l'emballage, puis remuez à fond à la fourchette et laissez refroidir un peu. Ajoutez les légumes cuits et les raisins secs et mélangez bien. Combinez l'huile, le jus d'orange et l'ail, puis versez cette vinaigrette sur le riz et touillez la salade. Laissez refroidir complètement. Avant de servir, parsemez la salade de persil et touillez de nouveau.

Salade d'avocat et orange

Les avocats sont une bonne source de vitamines et leur texture crémeuse
plaît à la plupart des bébés. Choisissez un type sucré d'orange et,
pour varier, remplacez-la par une poire.

DONNE 4 PORTIONS

1 *avocat très mûr*
1 *orange*

Pelez et dénoyautez l'avocat, puis coupez la pulpe en petits cubes. Avec un couteau bien aiguisé, tranchez le sommet et la base de l'orange, puis pelez-la à vif. Enlevez toute la partie blanche de l'écorce pour obtenir des segments d'orange sans peau et réservez le jus qui s'écoule. Coupez les segments d'orange en deux et combinez avec l'avocat. Ajoutez le jus de l'orange et touillez. Servez sur-le-champ avec des languettes de pain de blé entier.

SAUCES POUR LES PÂTES

On n'a jamais trop de sauces pour les pâtes dans son répertoire. Les quatre recettes qui suivent conviennent à tous les genres de pâtes... et de bébés. Maintenant que votre petit est plus grand, offrez-lui des pâtes farcies.

Sauce épinards et ricotta

DONNE 8 PORTIONS

2 c. à soupe de beurre
225 g (8 oz) d'épinards décongelés hachés
un peu de muscade, râpée

100g (4 oz) de ricotta
25 g (1 oz) de pecorino, râpé

Faites fondre le beurre et, quand il est mousseux, ajoutez les épinards. Faites revenir à feu doux pour bien chauffer les épinards, puis assaisonnez de muscade. Incorporez les fromages ricotta et pecorino, puis chauffez à feu doux sans porter à ébullition. Servez sur de petites pâtes.

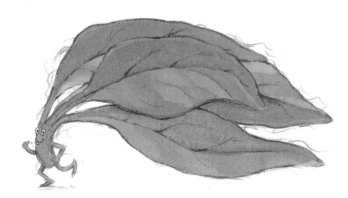

Sauce trois poivrons

DONNE 6 PORTIONS

2 c. à soupe d'huile d'olive
1 gousse d'ail, pelée et hachée fin
1 poivron rouge moyen, épépiné
et tranché fin
1 poivron vert moyen, épépiné
et tranché fin

1 poivron jaune moyen, épépiné
et tranché fin
1 oignon, pelé et émincé
½ c. à café d'origan sec
un peu de basilic haché
2 grosses tomates, épépinées et hachées

Chauffez l'huile dans une casserole, puis ajoutez l'ail, les poivrons, l'oignon et les fines herbes. Couvrez et cuisez à feu très doux environ 20 minutes, pour bien attendrir. Ajoutez les tomates, augmentez la chaleur du feu et faites bouillonner. Retirez du feu et réduisez en purée au robot de cuisine.

Sauce brocoli

DONNE 4 PORTIONS

225 g (8 oz) de fleurettes de brocoli
2 c. à soupe de beurre
2 c. à soupe rases de farine
300 ml (2 ¼ t.) de lait

1 feuille de laurier
1 tranche d'oignon
2 tiges de persil
un peu de muscade râpée

Coupez le brocoli en petits morceaux et cuisez à la vapeur environ 5 minutes, pour attendrir mais sans flétrir. Réservez. Faites fondre le beurre dans une casserole et incorporez la farine, puis versez le lait. Battez au fouet jusqu'à ce que la sauce bouillonne et épaississe. Ajoutez le laurier, l'oignon et le persil. Diminuez la chaleur du feu et faites mijoter 15 à 20 minutes, en remuant de temps à autre et en ajoutant un peu de lait si la sauce est trop épaisse. Retirez l'oignon, le laurier et le persil, puis assaisonnez avec la muscade et incorporez le brocoli.

Sauce champignons et quatre fromages

DONNE 4 PORTIONS

1 c. à soupe de beurre
½ oignon, pelé et haché fin
1 gousse d'ail, pelée et haché fin
100 g (4 oz) de petits champignons,
brossés et coupés en quartiers

25 g (1 oz) chacun de gruyère, cheddar,
pecorino et bel paese
150 ml (⅔ t.) de crème allégée

Faites fondre le beurre dans une casserole et faites revenir l'oignon et l'ail à feu doux, pour attendrir mais sans colorer. Ajoutez les champignons et cuisez encore 5 minutes. Retirez du feu, ajoutez les fromages et la crème, puis remuez pour faire fondre (si nécessaire, remettez sur le feu mais sans laisser bouillir).

PLATS PRINCIPAUX

Lentilles aux légumes

Notre famille appelle ce plat le «ragoût de la dernière chance», parce qu'il est invariablement au menu quand on n'a pas fait les courses et que le garde-manger est presque vide. Mais malgré son côté frugal, il a une saveur somptueuse.

DONNE 10 PORTIONS

1 c. à soupe d'huile végétale
1 oignon, pelé et haché
1 gousse d'ail, écrasée
1 grosse pomme de terre,
pelée et coupée en cubes
2 carottes, pelées et coupées en dés
2 tiges de céleri, lavées et hachées

225 g (8 oz) de lentilles roses,
lavées et triées
400 g (14 oz) de tomates en conserve, hachées
2 c. à café de concentré de tomate
1 feuille de laurier
½ c. à café d'origan sec
600 ml (2 ½ t.) de bouillon
de légumes maison

Chauffez l'huile dans un faitout et faites revenir l'oignon et l'ail, pour attendrir mais sans colorer. Ajoutez la pomme de terre, les carottes, le céleri et les lentilles et remuez pour enrober d'huile. Puis ajoutez les tomates, le concentré de tomate, les fines herbes et le bouillon. Portez à ébullition, couvrez et faites mijoter 40 à 45 minutes, pour bien attendrir. Retirez le laurier. Écrasez à la fourchette ~ de servir.

Légumes en croûte

La plupart des bébés aiment les plats en croûte, salés ou sucrés. Cette recette toute simple permet des permutations de légumes : vous pouvez aussi utiliser des courgettes, du chou-fleur et des poivrons, etc.

DONNE 10 PORTIONS

1 c. à soupe d'huile végétale
1 oignon, pelé et haché
1 gousse d'ail, pelée et hachée fin
225 g (8 oz) de panais, pelé et coupé en cubes
225 g (8 oz) de rutabaga, pelé et coupé en cubes
225 g (8 oz) de courge «butternut»,
pelée et coupée en cubes
2 c. à soupe de beurre
2 c. à soupe de farine

350 ml (1 ½ t.) de lait
50 g (2 oz) de cheddar orange, râpé
1 pincée de muscade râpée
GARNITURE
3 c. à soupe de beurre, ramolli
4 c. à soupe de farine de blé entier
4 c. à soupe de flocons d'avoine
1 c. à soupe de persil et ciboulette hachés (facultatif)
25 g (1 oz) de noix de Grenoble, moulues

Chauffez l'huile dans une poêle et faites revenir l'oignon et l'ail, pour attendrir mais sans colorer. Cuisez les autres légumes à la vapeur environ 10 minutes, pour attendrir. Laissez-les dans une passoire quelques minutes pour bien égoutter et faire évaporer l'eau.

Faites fondre le beurre dans une casserole, ajoutez la farine et cuisez 2 minutes en remuant. Incorporez le lait en battant au fouet et portez à ébullition pour faire épaissir, puis faites mijoter à feu doux 3 minutes. Retirez la sauce du feu et ajoutez le fromage et la muscade. Incorporez à la sauce les légumes cuits à la poêle et à la vapeur, mélangez bien et mettez dans un plat à gratin huilé.

Pour la garniture, mélangez le beurre avec la farine et l'avoine, puis incorporez les fines herbes (facultatif) et les noix. Déposez la garniture à la cuiller sur les légumes puis égalisez sur toute la surface. Cuisez au four à 200 °C (400 °F) environ 35 minutes, pour faire bouillonner et dorer. Écrasez grossièrement à la fourchette et servez avec des haricots verts ou des brocolis cuits à la vapeur.

Pâté chinois végétarien

La texture du blé bulgur est idéale pour cette recette et augmente
la valeur nutritive de cette version végétarienne d'un des plats préférés des
enfants. Servez-le seul ou avec une sauce végétarienne.

DONNE 6-8 PORTIONS

50 g (2 oz) de blé bulgur
450 g (1 lb) de pommes de terre, pelées et
coupées en cubes
un peu de beurre et de lait
2 c. à soupe d'huile végétale
1 oignon, haché fin
1 gousse d'ail, hachée fin
175 g (6 oz) de petits champignons, brossés
et coupés en quartiers

2 courgettes moyennes, brossées
et coupées en dés
1 carotte, pelée et coupée en dés
2 c. à soupe de persil frais haché
200 g (7 oz) de tomates en conserve, hachées
2 c. à soupe de concentré de tomate
175 ml (¾ t.) de bouillon de
légumes maison
100 g (4 oz) de cheddar, râpé

Déposez le bulgur dans un bol, couvrez d'eau bouillante et laissez reposer
15 minutes à couvert, pour faire absorber toute l'eau, puis remuez bien à la
fourchette pour séparer. Cuisez les pommes de terre dans l'eau bouillante environ
15 minutes, pour attendrir. Égouttez et réduisez en purée avec du beurre et du lait.

Chauffez l'huile dans un faitout, mettez l'oignon et l'ail, et faites revenir, pour
attendrir mais sans colorer. Ajoutez les champignons, les courgettes et la carotte,
et cuisez encore 2 minutes. Incorporez le persil, les tomates, le concentré de tomate et le bouillon. Portez à ébullition, couvrez et faites mijoter environ 15 minutes, pour attendrir les légumes.

Ajoutez le bulgur aux légumes, remuez et cuisez encore 5 minutes. Déposez le
mélange dans un plat à four peu profond, étendez dessus la purée de pommes de
terre et tracez des sillons avec une fourchette. Parsemez de fromage et cuisez au
four à 200 °C (400 °F) 30 minutes, pour faire dorer.

Ragoût de légumes et orge

Dans mon enfance, on servait souvent ce plat pendant l'hiver et j'adorais la texture crémeuse des perles d'orge. Même s'il a perdu sa place dans les soupes au profit des pâtes, je pense encore que l'orge est un aliment merveilleux. Vous pouvez servir avec du pain à l'ail.

DONNE 3 PORTIONS

2 c. à café d'huile végétale
½ gousse d'ail, pelée et hachée fin
½ oignon, pelé et haché fin
1 petite carotte, pelée et coupée en dés
2 tiges de céleri, lavées et hachées fin
1 c. à café de paprika doux
200 g (7 oz) de tomates en conserve, hachées

300 ml (1 ¼ t.) de bouillon
de légumes maison
25 g (1 oz) d'orge perlé, lavé
1 poireau, lavé et émincé
1 panais, pelé et coupé en cubes
175 g (6 oz) de fleurettes de chou-fleur
½ c. à café de romarin haché (facultatif)

Chauffez l'huile dans un faitout et faites sauter l'ail, l'oignon, la carotte et le céleri 5 minutes. Incorporez le paprika et cuisez encore 1 minute. Ajoutez tous les autres ingrédients et faites mijoter à feu doux environ 40 minutes, pour attendrir les légumes. Écrasez grossièrement à la fourchette avant de servir.

Gratin Parmentier

Cette recette est une version plus «adulte» du Gratin de pommes de terre
(voir p. 52). Des petits pois et du maïs accompagnent très bien ce plat.

DONNE 4 PORTIONS

350 g (12 oz) de pommes de terre nouvelles
1 c. à soupe de beurre
½ oignon, pelé et haché fin
1 grosse tomate, pelée, épépinée et hachée

85 ml (⅓ t.) de crème allégée
50 g (2 oz) de cheddar ou de gruyère, râpé
2 à 3 c. à soupe de chapelure de blé entier

Brossez les pommes de terre et faites-les bouillir sans les peler. Quand elles sont tendres, égouttez, coupez en cubes et disposez dans un plat à gratin peu profond. Mettez le beurre dans une casserole sur feu très doux et faites revenir l'oignon, pour attendrir mais sans colorer. Ajoutez la tomate et cuisez encore 5 minutes, pour bien attendrir la tomate. Incorporez la crème et le fromage à ce mélange et remuez constamment jusqu'à ce que le fromage soit presque fondu. Versez cette sauce sur les pommes de terre, parsemez de chapelure et placez sous le gril chaud.

Moussaka aux lentilles

Une étape importante du développement des tout-petits est de commencer à prendre les mêmes repas que le reste de la famille. Ce plat est le premier que j'ai partagé avec mon fils. Les lentilles du Puy ont une saveur et un goût supérieurs aux autres variétés, mais vous pouvez aussi utiliser un autre type de lentilles.

DONNE 6 PORTIONS (OU ASSEZ POUR PAPA, MAMAN ET BÉBÉ)

225 g (8 oz) de lentilles du Puy (ou autres lentilles vertes)
1 grosse aubergine, brossée et préparée
un peu d'huile d'olive, pour badigeonner
1 c. à soupe d'huile d'olive
1 petit oignon, pelé et émincé
1 petit poivron rouge, épépiné et émincé

1 gousse d'ail, écrasée
1 c. à café de fines herbes sèches
50 g (2 oz) de tomates sèches, égouttées et hachées fin
350 ml (1 ½ t.) de purée de tomate
50 g (2 oz) de cheddar ou gruyère, râpé
3 c. à soupe de chapelure de blé entier

Lavez les lentilles à fond. Mettez-les dans une casserole, couvrez d'eau froide et portez à ébullition. Cuisez à feu vif 10 minutes, puis réduisez la chaleur et faites mijoter 30 à 40 minutes, pour bien attendrir, puis égouttez.

Tranchez l'aubergine et déposez les tranches sur une plaque à gril. Badigeonnez la face supérieure d'huile d'olive, faites dorer sous le gril, puis retournez et procédez de même pour l'autre face. Réservez les aubergines cuites.

Chauffez l'huile d'olive dans une poêle et faites revenir l'oignon et le poivron, pour attendrir. Incorporez l'ail et éteignez le feu. Disposez les lentilles dans un plat à four, couvrez avec la moitié des aubergines, la moitié du mélange oignon-poivron et la moitié des tomates sèches et de la purée de tomate. Répétez les couches. Combinez le fromage et la chapelure et parsemez sur le dessus du plat. Cuisez au four à 180 °C (350 °F) environ 30 minutes, pour faire bouillonner et dorer. Réduisez en purée grossière avant de servir.

Courge farcie à la hongroise

Je trouve la courge un peu insipide, mais mon fils l'adore. Préparée de cette manière toutefois, elle devient délicieuse et nutritive.

DONNE 4 PORTIONS

½ grosse courge, coupée sur la longueur
75 g (3 oz) de carottes, pelées et tranchées
75 g (3 oz) de panais, pelés et hachés
85 ml (⅓ t.) environ de bouillon de légumes maison
1 c. à soupe de beurre
1 petit oignon, haché
½ poivron rouge, épépiné et coupé en dés

50 g (2 oz) de petits champignons, brossés et coupés en quartiers
200 g (7 oz) de tomates en conserve, hachées
50 g (2 oz) de maïs décongelé
150 ml (⅔ t.) de yogourt grec (à culture bactérienne active)
2 c. à soupe de paprika doux

Pelez la courge, puis enlevez le cœur et les pépins en gardant la pulpe intacte. Cuisez encore intacte dans une marmite d'eau bouillante environ 10 minutes, pour attendrir. Égouttez et réservez l'eau. Faites bouillir les carottes et les panais dans cette eau, pour attendrir. Égouttez et réservez encore l'eau. Réduisez en purée les carottes et les panais. Combinez l'eau réservée avec le bouillon de légumes, pour obtenir 150 ml (⅔ t.) de liquide, et réservez.

Mettez le beurre dans une poêle sur feu doux et faites revenir l'oignon, pour attendrir mais sans colorer. Ajoutez le poivron et cuisez encore 10 minutes. Incorporez la purée de carottes et panais, ainsi que les champignons et cuisez 2 minutes de plus. Incorporez les tomates, le maïs et le mélange de bouillon. Portez à ébullition et faites mijoter 25 minutes.

Combinez le yogourt et le paprika dans un petit bol, puis ajoutez aux légumes et mélangez bien. Empilez ce mélange sur la coquille de la pulpe de courge cuite, enveloppez de papier aluminium et cuisez au four à 180 °C (350 °F) 45 minutes, pour bien attendrir la courge. Coupez la courge farcie en quartiers et réduisez en purée. Servez avec du riz et du yogourt.

Gratin de poireaux et haricots

Les haricots blancs et les poireaux semblent posséder une affinité naturelle
et leur saveur se marie merveilleusement dans ce plat.

DONNE 10-12 PORTIONS

3 poireaux moyens, lavés et hachés fin
½ petit chou-fleur, divisé en fleurettes
2 c. à soupe de beurre
1 petit oignon, haché fin
1 gousse d'ail, hachée fin
2 c. à soupe de farine
1 c. à café de coriandre moulue

125 ml (½ t.) de bouillon de légumes
maison
125 ml (½ t.) de lait
400 g (14 oz) de haricots blancs
en conserve, rincés et égouttés
50 g (2 oz) de cheddar ou mozzarella, râpé
1 petit sachet de chips non salés, émiettés

Cuisez à la vapeur les poireaux et le chou-fleur environ 10 minutes, pour attendrir, et réservez.

Mettez le beurre dans une poêle sur feu doux et faites revenir l'oignon et l'ail,
pour attendrir mais sans colorer. Saupoudrez de la farine et cuisez encore 3 minutes, en remuant. Ajoutez la coriandre, puis incorporez le bouillon et le lait, et
continuez la cuisson jusqu'à obtention d'une sauce homogène (ajoutez un peu de
liquide si nécessaire). Faites mijoter la sauce 3 minutes de plus.

Incorporez à la sauce les haricots, les poireaux et le chou-fleur, puis déposez
dans un plat à gratin. Combinez le fromage et les miettes de chips, et parsemez sur les légumes. Cuisez au four à 180 °C (350 °F) 30 minutes,
pour faire bouillonner et dorer. Écrasez grossièrement à la fourchette, puis servez avec des légumes verts cuits à la vapeur.

Curry de légumes et pois chiches

Ce plat doux et crémeux ne contient qu'un soupçon d'épices et pas de piment : il conviendra donc très bien à votre bébé.

DONNE 12-15 PORTIONS

1 c. à soupe d'huile végétale
1 petit oignon, haché fin
2 c. à soupe de farine
1 à 2 c. à soupe de pâte de curry doux
1 c. à soupe de purée de tomate
2 c. à soupe de beurre d'arachide crémeux

600 ml (2 ½ t.) de bouillon
de légumes maison
½ chou-fleur moyen, divisé en fleurettes
4 courgettes moyennes, coupées en cubes
400 g (14 oz) de pois chiches en conserve,
rincés et égouttés
300 ml (1 ¼ t.) de yogourt nature

Chauffez l'huile dans une poêle et faites revenir l'oignon, pour attendrir mais sans colorer. Saupoudrez la farine sur l'oignon et cuisez 2 ou 3 minutes en remuant. Ajoutez la pâte de curry, la purée de tomate et le beurre d'arachide, puis incorporez graduellement le bouillon et faites mijoter 5 à 10 minutes.

Cuisez à la vapeur le chou-fleur et les courgettes environ 5 à 12 minutes, pour attendrir (mettez les courgettes après, car elles cuisent plus vite). Ajoutez le chou-fleur, les courgettes et les pois chiches à la sauce, couvrez et faites mijoter à feu doux 20 à 30 minutes. Éteignez le feu et laissez le curry reposer 10 minutes avant d'y incorporer le yogourt. Écrasez à la fourchette ou réduisez en purée et servez avec du riz et des tranches de banane.

Riz frit à la chinoise

Si votre bébé aime les saveurs relevées, ajoutez un peu de gingembre râpé et d'ail frit à ce plat. Vous pouvez aussi garnir de graines de sésame rôties avant de servir. L'œuf doit être très bien cuit avant de l'ajouter au riz et n'augmentez pas la quantité de sauce soja, car elle contient beaucoup de sel.

DONNE 8 PORTIONS

1 c. à soupe d'huile végétale
3 oignons verts, hachés fin
1 carotte moyenne, pelée et coupée en dés
½ poivron vert, épépiné et coupé en dés
50 g (2 oz) de petits pois décongelés
40 g (1 ½ oz) de germes de soja

1 grosse tomate, pelée, épépinée et hachée
1 œuf, battu
250 g (1 ¼ t.) de riz basmati cuit
1 c. à café d'huile de sésame
1 jet de sauce soja allégée

Chauffez l'huile végétale dans une grande poêle ou un wok, et faites sauter les oignons et la carotte 2 ou 3 minutes. Ajoutez le poivron, les pois, les germes de soja et la tomate, et faites sauter encore 2 minutes. Poussez les légumes sur le côté de la poêle, versez l'œuf et cuisez en remuant constamment, pour bien brouiller. Incorporez le riz en touillant bien, puis cuisez un peu plus pour bien chauffer tous les ingrédients. Aspergez d'huile de sésame et de sauce de soja, et servez.

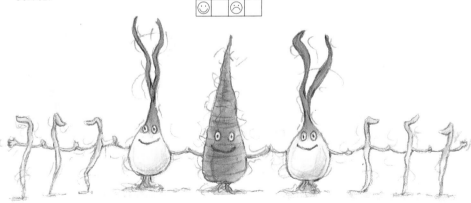

Polenta avec sauce tomate

Ingrédient de base de la cuisine italienne, la polenta a un goût plutôt fade
et c'est pourquoi elle est parfaite pour les bébés. Servez-la avec cette sauce
tomate ou une autre sauce pour les pâtes.

DONNE 8 PORTIONS

1 L (4 t.) d'eau
225 g (8 oz) de farine de maïs
50 g (¼ t.) de beurre
SAUCE TOMATE
1 c. à soupe d'huile d'olive
1 oignon, haché fin

1 gousse d'ail, hachée fin
2 poivrons rouges, épépinés et hachés fin
400 g (14 oz) de tomates en conserve
1 c. à soupe de concentré de tomate
1 œuf, battu
un peu de farine de maïs, pour enrober

Portez l'eau à ébullition, puis versez graduellement la farine de maïs dans l'eau
et remuez bien pour rendre homogène. Ajoutez le beurre, couvrez et cuisez
environ 20 minutes en remuant fréquemment, jusqu'à consistance épaisse et crémeuse. Versez la polenta cuite dans un plat huilé de 23 x 33 cm (9 x 13 po), puis
laissez reposer pour faire prendre.

Pour la sauce, chauffez l'huile dans un faitout et faites revenir l'oignon et l'ail,
pour attendrir mais sans colorer. Ajoutez les poivrons et cuisez encore 5 minutes.
Incorporez les tomates et le concentré de tomate, por-
tez à ébullition, couvrez et faites mijoter 20 minutes
pour faire réduire la sauce. Coupez la polenta
refroidie en carrés, enrobez-les d'œuf et de farine de maïs et frire dans une poêle, pour faire
dorer. Versez la sauce sur la polenta avant de
servir.

METS SUCRÉS

Muffins à la pomme

Ces savoureux petits gâteaux faibles en gras sont super au petit-déjeuner ou au goûter. Pour un dessert plus copieux, servez-les avec une crème anglaise ou glacée.

DONNE 12 MUFFINS

300 ml (1 ¼ t.) de lait
100 g (⅔ t.) de son d'avoine
2 œufs
65 g (⅓ t.) de beurre, fondu
3 c. à soupe de sucre de canne brut
½ c. à café d'extrait de vanille

50 g (⅓ t.) de farine de blé entier
100 g (⅔ t.) de farine blanche
2 c. à café de bicarbonate de soude
1 pomme, pelée, évidée et hachée
4 c. à soupe de raisins secs, macérés
quelques heures dans le jus d'orange

Beurrez 12 moules à muffins. Mettez le lait et le son d'avoine dans un bol. Dans un autre bol, battez ensemble les œufs, le beurre fondu, le sucre et la vanille. Puis incorporez le mélange d'œufs à celui de lait et de son.

Tamisez ensemble les farines et le bicarbonate, puis incorporez aux pommes. Ajoutez le mélange farine-pomme et les raisins égouttés au mélange lait-œufs et remuez bien pour combiner. Déposez la pâte à la cuiller dans les moules et cuisez au four à 190 °C (375 °F) 25 à 30 minutes, pour faire lever et dorer.

Biscuits à l'avoine

L'avoine est une bonne source de vitamines et de fibres : ces savoureux biscuits
sont donc parfaits pour votre bébé.

DONNE 24 BISCUITS

100 g (⅔ t.) de farine de blé entier
100 g (⅔ t.) de flocons d'avoine
100 g (½ t.) de beurre, ramolli

4 c. à soupe de confiture non sucrée
1 œuf, battu

Mettez la farine et l'avoine dans un bol et, avec les doigts, émiettez le beurre
dans ce mélange. Incorporez la confiture (vous devrez peut-être d'abord la
ramollir en la chauffant au bain-marie ou au micro-ondes). Ajoutez l'œuf, puis
mélangez pour obtenir une pâte ferme.

Étendez la pâte au rouleau sur une surface farinée jusqu'à environ 6 mm (¼ po)
d'épais. Découpez dans la pâte des formes à l'emporte-pièce et déposez-les sur
une plaque à biscuits beurrée. Cuisez au four à 190 °C (375 °F) 10 à 15 minutes,
pour faire dorer. Laissez refroidir les biscuits un peu sur la plaque hors du four, puis
transférez sur une grille. Quand ils sont froids, rangez-les dans un contenant hermétique.

Charlotte de fraises

Si vous trouvez la crème fouettée trop riche, remplacez-la
par de la crème pâtissière.

DONNE 8 PORTIONS

75 g (⅓ t.) de beurre
50 g (2 oz) de noix de coco sèche
75 g (½ t.) de flocons d'avoine
75 g (½ t.) de farine de blé entier
300 ml (1 ¼ t.) de crème fouettée

150 ml (⅔ t.) de yogourt grec
(à culture bactérienne active)
225 g (8 oz) de fraises, lavées et équeutées
un peu de noix de coco grillée pour décorer

Mettez le beurre, la noix de coco sèche, l'avoine et la farine dans le bol du robot de cuisine et mélangez jusqu'à absorption du beurre. Huilez un grand plat à four et pressez le mélange dans le fond sur une épaisseur de 2,5 cm (1 po). Cuisez au four à 190 °C (375 °F) environ 20 minutes, pour faire dorer. Laissez refroidir, puis coupez en morceaux et émiettez pour couvrir le fond d'un plat de service. Battez ensemble la crème et le yogourt, puis étalez ce mélange sur la base de miettes. Garnissez de fraises hachées et refroidissez au frigo au moins 1 heure, pour que la base ramollisse. Avant de servir, décorez de noix de coco grillée.

Gâteau aux carottes

Les bébés plus âgés aiment bien les gâteaux, mais ont de la difficulté avec ceux qui sont trop secs. Les carottes rendent ce gâteau très moelleux et facile à avaler.

DONNE 8-10 PORTIONS

225 g (1 ½ t.) de farine
de blé entier
1 c. à café de cannelle
½ c. à café de muscade
½ c. à café de bicarbonate de soude

100 g (½ t.) de beurre
100 g (4 oz) de miel
100 g (½ t.) de sucre de canne brut
225 g (8 oz) de carottes,
pelées et râpées fin

Tamisez ensemble la farine, les épices et le bicarbonate. Faites fondre ensemble le beurre, le miel et le sucre à feu doux, puis incorporez à la farine en mélangeant bien. Ajoutez les carottes et mélangez encore. Déposez la pâte dans un moule à pain bien beurré et cuisez au four à 170 °C (325 °F) 60 à 80 minutes, jusqu'à ce qu'un cure-dent inséré dans le gâteau en ressorte propre. Laissez refroidir sur une grille. Conservez dans un contenant hermétique.

Pavé aux pêches et bleuets (myrtilles)

La délicieuse combinaison de saveurs des bleuets (myrtilles) et des pêches produit ici un superbe dessert pour les tout-petits.

DONNE 8 PORTIONS

450 g (1 *lb*) *de pêches mûres*
2 *c. à soupe de sucre*
1 *pincée de muscade râpée*
1 *pincée de cannelle râpée*
½ *c. à café de jus de citron*
225 g (8 oz) *de bleuets (myrtilles),*
lavés et asséchés

GARNITURE
50 g (⅓ t.) *de farine*
½ *c. à café de levure chimique (poudre à pâte)*
2 *c. à soupe de beurre*
½ *c. à soupe de sucre*
½ *œuf, battu*
1 ½ *c. à soupe de lait*

Pelez les pêches (pour faciliter la tâche, incisez la peau en 4 sections et plongez dans l'eau bouillante 15 secondes, puis dans de l'eau glacée), puis dénoyautez et coupez en tranches fines. Déposez les pêches dans une casserole sur feu doux et cuisez jusqu'au bouillonnement du jus. Retirez du feu, laissez tiédir et égouttez, en réservant le jus. Incorporez le sucre, les épices et le jus de citron au jus de pêche réservé. Mettez les pêches pochées et les bleuets (myrtilles) dans un plat à four et arrosez du jus épicé.

Pour la garniture, tamisez ensemble la levure et la farine, puis émiettez-y le beurre avec les doigts. Incorporez le sucre. Combinez l'œuf et le lait, puis ajoutez à la farine en mélangeant bien pour obtenir une pâte. Étendez la pâte au rouleau sur une surface farinée, puis coupez en petits disques. Placez ces disques sur les fruits, badigeonnez de lait et cuisez au four à 200 °C (400 °F) 20 minutes, pour faire dorer. Servez avec du yogourt ou de la crème anglaise.

94

Compote de fruits

Elle est délicieuse au petit-déjeuner, avec du yogourt, ou comme dessert,
avec une crème glacée ou anglaise.

DONNE 8 PORTIONS

25 g (1 oz) de poires sèches
25 g (1 oz) de pruneaux dénoyautés
90 g (3 ½ oz) de pêches sèches
90 g (3 ½ oz) d'anneaux de pommes sèches
25 g (1 oz) de tranches de banane sèche

25 g (1 oz) de raisins blonds secs
350 ml (1 ½ t.) de jus d'orange
3 clous de girofle
½ bâtonnet de cannelle
1 c. à café de zeste d'orange râpé

Mettez tous les ingrédients dans une casserole avec 125 ml (½ t.) d'eau. Portez à ébullition, couvrez et faites mijoter, pour bien attendrir tous les fruits. Retirez les clous de girofle et la cannelle, puis laissez refroidir. Conservez au frigo.

Flan

Le flan est un autre dessert classique dont raffolent les bébés. Celui-ci
est à l'abricot, mais un flan à la fraise est tout aussi savoureux.

DONNE 4 PORTIONS

2 c. à café de sucre
2 œufs

300 ml (1 ¼ t.) de lait
2 c. à soupe de confiture d'abricots

Battez ensemble l'œuf et le sucre, pour bien dissoudre le sucre et faire mousser. En battant au fouet, incorporez le lait et la confiture d'abricots. Filtrez le mélange à la passoire dans un plat à four beurré. Cuisez au four à 150 °C (300 °F) 30 minutes, pour faire prendre. Laissez refroidir. Conservez au frigo.

Salade de fruits exotiques

Ces fruits sont excellents pour votre bébé, car ils contiennent beaucoup
de fructose, de vitamines et de sels minéraux.

DONNE 8 PORTIONS

jus de 1 *grosse orange*
1 *mangue très mûre, pelée, dénoyautée
et hachée*

2 *kiwis, pelés, tranchés et coupés
en quartiers*
1 *papaye mûre, pelée, épépinée et hachée*

Mettez les fruits dans un bol et versez le jus dessus. Servez avec du yogourt, de
la crème glacée ou de la crème anglaise.

Yogourt maison

Le yogourt nature est un élément précieux du régime des bébés. Il est très facile
et plus économique de le préparer soi-même, mais le yogourt nature utilisé
comme ferment doit contenir des cultures bactériennes actives.

DONNE ENVIRON 600 ML (2 ½ T.) DE YOGOURT

550 *ml (2 ¼ t.) de lait entier*
1 *c. à soupe de lait maternisé ou*

de lait ordinaire en poudre
1 *c. à soupe de yogourt avec cultures actives*

Dans une casserole, mélangez le lait et la poudre de lait et portez presque à
ébullition. Laissez tiédir, puis incorporez le yogourt en battant au fouet. Versez
le mélange dans une bouteille thermos stérilisée à large ouverture et laissez reposer 6 à 8 heures. Puis transférez dans un contenant non métallique, couvrez et réfrigérez 6 heures. Consommez dans la semaine qui suit.

96

MENU DE NEUF À DOUZE MOIS

Ce menu montre comment intégrer certaines recettes de ce chapitre afin de planifier un régime alimentaire équilibré qui convient aussi aux autres membres de la famille.

LISTE D'INGRÉDIENTS

Beurre d'arachide
Blé bulgur, pâtes, orge, farine de maïs et riz
Céréales
Chips non salés
Confiture non sucrée (ex. abricots)
Crème allégée et épaisse
Crème dessert instantanée
Haricots ordinaires et cannellini en conserve
Fines herbes et épices
Fromage frais
Fromage
Fruits secs
Fruits et légumes frais
Graines de sésame
Jus de fruit
Légumes congelés
Lentilles roses et du Puy
Levure
Miel
Noix
Noix de coco sèche
Œufs
Pains, muffins anglais
Pois chiches en conserve
Purée et concentré de tomate
Son et flocons d'avoine
Tomates sèches et en conserve
Yogourt grec (à culture bactérienne active)

* Lait avec le petit-déjeuner et avant la sieste du matin
** Jus de fruit avec le goûter et les repas du midi et du soir

	Matin*	Midi**	Goûter	Soir	Coucher
Jour 1	Weetabix Banane Lait	Pâtes avec sauce trois poivrons Fromage frais	Potage de l'Halloween Gressins au sésame Biscuits à l'avoine	Légumes en croûte Compote de fruits Crème dessert	Lait
Jour 2	Gruau avec pomme hachée	Pâté chinois végétarien Flan Fruit	Épi de maïs au miel Salade d'avocat et orange Fromage frais	Pâtes avec sauce champignons et quatre fromages Salade de fruits exotiques	Lait
Jour 3	Œuf brouillé Languettes de toast Poire	Gratin de poireaux et haricots Légumes verts Fruit	Sandwichs Fromage frais	Gratin Parmentier Gâteau aux carottes	Lait
Jour 4	Shreddies Fraises Fromage frais	Moussaka aux lentilles Salade bonne humeur Pudding au riz	Falafels avec Tzatziki à la menthe Fruit	Courge farcie à la hongroise Fruit	Lait
Jour 5	Pain doré spécial bébé Purée de pomme	Curry de légumes et pois chiches Riz Fromage frais	Micro-pizzas Flan	Pâtes avec sauce épinards et ricotta Fruit	Lait
Jour 6	Compote de fruits Yogourt Toast	Lentilles aux légumes Fruit	Soupe des astronautes Pailles au fromage Fromage frais	Croquettes au fromage et à l'arachide Salade de riz Pavé aux pêches et bleuets	Lait
Jour 7	Corn flakes Pomme Toast de pain aux raisins	Pâtes avec sauce brocoli Charlotte de fraises	Polenta avec sauce tomate Muffins à la pomme	Ragoût de légumes et orge Fruit	Lait

NOTE : *Dans tous les menus, les recettes présentées dans ce livre sont en caractères gras.*

CHAPITRE CINQ

À *partir d'un an*

LES GOURMETS EN HERBE

De son premier anniversaire à son entrée à l'école maternelle, votre tout-petit développera son indépendance et ses capacités à un rythme étonnant. Plus vraiment un bébé, il est maintenant un participant déterminé de tous les aspects de la vie quotidienne, y compris les repas. Pour les parents, cette phase peut être très amusante, mais aussi très frustrante lorsqu'ils essaient de faire manger à leur petit un régime équilibré. La nourriture est devenue pour lui un objet de fascination qu'il doit découvrir, examiner... et occasionnellement consommer. Le plus important pour vous est de rester détendu et de ne pas trop vous en faire si le merveilleux repas préparé avec amour pour votre petit aboutit dans ses cheveux ou sur le sol. À cet âge, votre enfant est très sensible aux humeurs de ses parents et apprend vite à les utiliser à ses fins. Encouragez votre tout-petit à manger et cajolez-le, mais ne le forcez jamais, car la table des repas pourrait alors rapidement se transformer en zone de guerre!

Tous les enfants traversent des stades où ils ne veulent consommer que certains aliments, font des caprices ou même refusent de manger. Même si ce sont des périodes troublantes, soyez patient et ne vous alarmez pas : aucun enfant n'est jamais mort de faim de cette manière ! Si votre enfant a une taille et un poids normaux, il est évident qu'il avale quelques calories ici et là, aussi improbable que cela semble parfois. Votre enfant a encore un petit estomac et un temps d'attention assez court : il est difficile pour lui de manger assez pour le soutenir jusqu'au prochain repas, et encore plus de se concentrer sur cette tâche une fois la première faim assouvie. Essayez autant que possible de lui inculquer le concept des trois repas par jour, mais soyez réaliste : il lui faudra plusieurs années pour l'assimiler et, d'ici là, il mangera souvent entre les repas.

DE BONNES HABITUDES ALIMENTAIRES

Plutôt que les horaires des repas ou les quantités ingurgitées, ce qui compte c'est ce que les tout-petits mangent. Les experts affirment que les habitudes et les préférences alimentaires acquises dans l'enfance joue un rôle important dans la prévention des maladies dégénératives qui surviennent plus tard dans la vie. Même si la plupart des végétariens atteignent plus facilement les objectifs alimentaires définis par l'Organisation mondiale de la santé, j'ai rencontré plus d'un enfant végétarien dont le régime consiste presque entièrement de chips, de cola, de frites et de pizzas. Une maman, dont le fils de trois ans était souvent notre invité pour un repas, m'a confié en s'excusant que son petit n'acceptait de manger que des pâtes de fantaisie et des frites. On peut se douter que cette situation n'était pas entièrement la faute de l'enfant : ce n'était sûrement pas lui qui allait faire les courses au supermarché pour se procurer ces aliments à la valeur nutritive discutable.

En général, vous devriez vous assurer que votre petit consomme beaucoup de fruits et de légumes, des produits laitiers entiers (il a besoin de ces calories supplémentaires) et des glucides complexes (pain et céréales). Essayez de restreindre la consommation d'aliments sucrés et raffinés, comme les gâteaux et les biscuits, et de limiter la quantité de sel. Néanmoins, n'appliquez pas ces règles de façon trop stricte : il peut manger occasionnellement une tablette de chocolat ou des chips sans que ce soit un crime. Vous ne devez pas non plus faire suivre à votre enfant un régime à basse teneur en gras et à haute teneur en fibres. Cela pourrait entraîner ce que les médecins appellent le «syndrome muesli», une forme de malnutrition qui affecte certains enfants dont les parents ont obligés, pour leur bien croyaient-ils, à manger des aliments riches en fibres : entre autres, de grandes quantités de produits non raffinés comme les pains et les pâtes de blé entier et le riz brun. Les tout-petits ont besoin d'une grande variété de nutriments et d'un nombre suffisant de calories pour grandir et se développer.

LE PLAISIR DE MANGER

Pour les tout-petits, et les adultes, manger doit

être un plaisir et non une corvée. La variété est la meilleure stratégie pour stimuler l'intérêt et l'appétit à l'heure des repas. Si vous servez à votre petit des repas monotones, s'alimenter deviendra ennuyeux pour lui et il se méfiera de plus en plus des aliments nouveaux et non familiers. Les jeunes enfants peuvent avoir des goûts assez aventureux si on leur en donne la chance. À partir d'un an, la seule restriction alimentaire qui subsiste pour eux est de ne pas consommer de noix entières, car il y a un risque réel d'étouffement. À part cela, l'univers du supermarché leur est grand ouvert.

Comme les adultes, les tout-petits consomment d'abord avec leurs yeux : c'est pourquoi leur nourriture devrait être attirante et joliment présentée. Inutile d'exagérer en découpant les tomates en roses et les radis en éventails, mais un bol de bouillie grisâtre ne stimule pas l'appétit, alors que les couleurs vives, les formes intéressantes et les textures différentes le font. Une salade de fruits, par exemple, attirera plus un petit si les fruits sont taillés individuellement et présentés en motif sur une assiette plutôt qu'en tas anonyme dans un bol. Une simple salade de carottes et de pommes râpées peut fasciner avec ses couleurs contrastantes. Servez de petites portions pour ne pas intimider votre enfant : s'il mange tout, vous pouvez toujours le resservir.

La plupart des enfants sont fascinés très jeunes par la préparation des aliments. Quand le temps, la patience et la prudence le permettent, laissez-le vous donner un coup de main. Debout sur une chaise le dimanche matin, mon fils adore écosser les pois ou étendre la sauce tomate sur la pizza. Comme récompense, nous préparons aussi ensemble parfois des biscuits au chocolat qu'il apportera à la garderie le lundi. La fierté avec laquelle il présente ces petites montagnes informes à ses camarades justifie les dégâts que leur préparation génère. Mettre la main à la pâte intègre votre tout-petit au processus des repas, même s'il s'agit simplement de choisir le type de pâtes qui accompagnera sa sauce.

Jusqu'à leur premier anniversaire, la plupart des bébés laissent leurs parents les nourrir, mais leur indépendance croissante les pousse inévitablement à insister pour manger tout seuls. Prenez patience, protégez vos tapis, gardez une serviette mouillée à portée de main et, surtout, retenez-vous de trop intervenir. Pour aider votre enfant à s'alimenter, procurez-vous un ensemble de cuillers, couteaux et fourchettes adaptés aux tout-petits. Au début, cela prendra beaucoup de temps et fera des dégâts, mais à mesure que la dextérité de votre bébé augmente, un plus grand pourcentage des aliments atteindra éventuellement sa bouche. Sa satisfaction et la confiance qu'il acquerra ainsi justifieront les efforts mis pour y arriver.

À cause des contraintes de la vie moderne, les repas pris en famille sont un idéal qu'il n'est pas toujours possible de réaliser. Lorsque votre tout-petit doit manger seul sous la supervision d'un adulte, résistez à la tentation de le placer devant la gardienne électronique (la télé). Transformez plutôt cette occasion en un pique-nique partagé avec ses amis inanimés dans le jardin ou installez dans la cuisine une petite tente avec un séchoir à vêtements et une couverture pour qu'il joue au camping. Mon fils aime bien prendre son goûter «à la mer», en prétendant qu'il flotte dans son vieux bain de bébé.

UN MOMENT DE RAPPROCHEMENT

Comme parents, nous voulons tellement que nos tout-petits consomment les bons aliments pour favoriser un développement sain, que nous oublions parfois le rôle vital de la nourriture dans la formation des liens affectifs. Les repas devraient être une occasion de socialiser : c'est parfois le seul temps où les membres de la famille peuvent échanger des nouvelles et des idées dans une ambiance détendue. Même avant d'être capables de participer à la conversation, les jeunes enfants peuvent apprécier ces moments privilégiés. De plus, les enfants qui mangent régulièrement avec les adultes ont tendance à assimiler plus facilement les rudiments des bonnes manières à table. La plupart des petits aiment bien aussi manger au restaurant. Ceux de cuisine italienne et chinoise sont de bons premiers choix, car les serveurs y sont en général plus tolérants et gentils avec les petits convives.

Vers l'âge de deux ans, plusieurs tout-petits fréquentent la garderie ou un groupe de jeu et commencent à développer leur sociabilité. Encouragez cela en invitant de petits amis pour des périodes de jeux incluant un goûter ou un repas et donnez un air de fête aux aliments que vous leur servez à cette occasion (voir les suggestions à la fin de ce chapitre). Les enfants qui apprennent tôt à socialiser et à partager avec leurs pairs s'adapteront par la suite plus facilement à l'école.

AU SUJET DES RECETTES

Les recettes de ce chapitre sont conçues pour présenter à votre tout-petit une grande variété de saveurs et de textures, tout en plaisant aussi aux autres membres de la famille. Au début de cette phase, surveillez la quantité ou le type d'assaisonnements que vous utilisez. Mais quand votre enfant aura trois ou quatre ans, ce ne sera probablement plus nécessaire de modifier les recettes, à condition que vous n'ayez pas un trop fort penchant pour le sel ou les currys très épicés. En faisant connaître tôt à votre fils ou à votre fille des aliments sains et délicieux, vous lui fournirez un excellent moyen pour bien se développer et être heureux. Bon appétit!

METS LÉGERS

Soupe quatre saisons

Cette soupe nutritive et attrayante permet de présenter à votre tout-petit les légumes en morceaux. En la mangeant, demandez-lui de nommer ceux qu'il reconnaît.

DONNE 4 PORTIONS D'ADULTE

1 c. à soupe d'huile d'olive
1 oignon, haché fin
1 panais, pelé et haché
225 g (8 oz) de rutabaga, coupés en dés
225 g (8 oz) de pommes de terre,
coupées en dés

1 c. à café de fines herbes sèches (facultatif)
2 c. à soupe de purée de tomate
600 ml (2 ½ t.) de bouillon de légumes
1 courgette, coupée en dés
75 g (3 oz) de petits pois congelés
sel et poivre

Chauffez l'huile dans un faitout, ajoutez l'oignon, les panais, les rutabagas et les pommes de terre, et cuisez 5 minutes à feu doux, sans colorer. Incorporez les fines herbes (facultatif), la purée de tomate et le bouillon, puis portez à ébullition, couvrez et faites mijoter 25 minutes. Puis ajoutez la courgette et les pois, salez et poivrez, couvrez et faites mijoter encore 5 à 10 minutes.

Potage de betteraves et pomme

Les tout-petits adorent les aliments hauts en couleur : c'est pourquoi ils aiment l'allure de ce potage « rouge à lèvres », comme l'appelle mon fils — à cause de la coloration qu'il laisse autour des lèvres des petits mangeurs maladroits.

DONNE 4 PORTIONS D'ADULTE

1 c. à soupe d'huile d'olive
2 betteraves moyennes crues, pelées
et coupées en dés
1 pomme, pelée, évidée et hachée
1 pomme de terre moyenne, râpée

500 ml (2 t.) de bouillon de légumes
150 ml (⅔ t.) de jus de pomme
4 c. à soupe de yogourt grec
(à culture bactérienne active)
sel et poivre

Chauffez l'huile dans un faitout, ajoutez les betteraves et la pomme et faites revenir 3 à 4 minutes. Incorporez la pomme de terre et le bouillon, puis portez à ébullition, couvrez et faites mijoter 30 minutes, pour attendrir les betteraves. Laissez refroidir un peu, puis ajoutez le jus de pomme et liquéfiez au mélangeur. Remettez le potage sur le feu pour réchauffer, salez et poivrez. Avant de servir, décorez chaque bol de potage d'une spirale de yogourt.

Potage de carottes à l'orange

C'est une recette que j'ai rapportée d'un voyage en France et que mon fils aime bien. Je la sers avec des languettes de pain pita chaud ou des croûtons à l'ail.

DONNE 4 PORTIONS D'ADULTE

1 c. à soupe d'huile d'olive
1 oignon, haché fin
750 g (1 ½ lb) de carottes, lavées
et coupées en dés

zeste râpé et jus de 1 orange
500 ml (2 t.) de bouillon de légumes
150 ml (⅔ t.) de lait
sel et poivre

Chauffez l'huile dans un faitout, ajoutez l'oignon et les carottes, couvrez et cuisez 5 à 10 minutes à feu doux. Incorporez le zeste et le jus d'orange ainsi que le bouillon, puis portez à ébullition et faites mijoter 20 minutes, pour attendrir les carottes. Laissez refroidir un peu, versez le lait et liquéfiez au mélangeur. Ensuite, salez et poivrez et remettez le potage sur le feu pour réchauffer.

Sandwichs

Les sandwichs sont merveilleux pour les tout-petits, car ils peuvent les manger tout seuls et ils se prêtent aussi à beaucoup d'invention. Utilisez différents pains (en évitant ceux avec des graines) sous diverses présentations : formes géométriques, en spirales, à l'emporte-pièce, bicolores avec deux types de pain. Les mangeurs difficiles se laisseront convaincre par un pique-nique emballé dans leur propre boîte à lunch, même s'il a lieu dans le jardin ou la salle familiale.

MIEL ET FROMAGE À LA CRÈME

DONNE 4 « FRIMOUSSES »

2 *tranches de pain de blé entier, beurrées*
2 *c. à soupe de fromage à la crème*
1 *c. à soupe de miel liquide*
1 *poignée de raisins secs*

Tartinez les tranches de pain de miel et de fromage, puis réunissez en sandwich. Enlevez la croûte et découpez 4 sandwichs ronds avec un emporte-pièce. Décorez ces « frimousses » avec des raisins pour les yeux, le nez et la bouche.

BANANE ET BEURRE D'ARACHIDE

DONNE 3 LANGUETTES

1 *tranche de pain blanc et 1 de blé entier, beurrées*
1 *c. à soupe de beurre d'arachide crémeux*
1 *petite banane, écrasée*

Tartinez 1 tranche de pain de beurre d'arachide et garnissez de banane. Couvrez avec l'autre tranche. Enlevez la croûte, puis coupez en languettes.

HOUMMOS ET CAROTTE

DONNE 2 MINI-POCHETTES

2 *mini-pains pita*
3 *c. à soupe de hoummos (voir p. 40)*
1 *petite carotte, râpée*

Réchauffez les pitas et incisez dans le milieu. Combinez le hoummos et la carotte, puis remplissez les pitas de ce mélange.

BRIE ET RAISINS NOIRS

DONNE 4 MINI-SANDWICHS

2 *tranches de pain fruité, beurrées*
50 *g (2 oz) de brie fait, tranché*
8 *demi-raisins noirs, épépinés*

Disposez le brie sur une tranche de pain. Garnissez des demi-raisins et couvrez avec l'autre tranche. Enlevez la croûte et coupez en quatre.

DRAPEAUX ITALIENS

DONNE 4 PETITS PAINS

4 *mini-pains, coupés en 2 et beurrés*
pulpe de 1 petit avocat, écrasée
2 *tomates, tranchées fin*
sel et poivre
4 *tranches de mozzarella*

Répartissez l'avocat et les tomates sur 4 demi-pains, puis salez et poivrez. Couvrez de mozzarella et couvrez avec les autres demi-pains.

HARICOTS DE LIMA ET BOURSIN

DONNE 4 TARTINES

4 *tranches de baguette*
2 *c. à soupe de boursin*
2 *c. à soupe de haricots de Lima, rincées et égouttées*

Écrasez ensemble le boursin et les haricots. Tartinez le pain de ce mélange.

Pomme de terre au four

Les pommes de terre au four sont aussi un autre aliment favori des tout-petits. Mais pour qu'ils les acceptent, elles doivent être très tendres et leur peau, bien croquante et ceci ne peut être réussi au four à micro-ondes. Faire bouillir les pommes de terre avec leur peau 20 minutes puis les cuire au four à 200 °C (400 °F) 20 à 30 minutes, selon la taille. Puis coupez-les en deux et enlevez la pulpe, que vous écrasez avec du beurre et remettez dans la peau avec une des garnitures suivantes.

FROMAGE À LA CRÈME ET CIBOULETTE

POUR 2 POMMES DE TERRE

100 g (4 oz) *de fromage à la crème*
1 *c. à soupe de ciboulette hachée*

Combinez le fromage et la ciboulette, puis garnissez-en les pommes de terre préparées.

BOLONAISE VÉGÉTARIENNE

Garnissez des pommes de terre préparées d'un reste de cette sauce (voir p. 113). Parsemez de pecorino râpé avant de servir.

CHAMPIGNONS CRÉMEUX

POUR 2 POMMES DE TERRE

2 c. à soupe de beurre
100 g (4 oz) de champignons, brossés et tranchés
1 c. à soupe de farine
300 ml (1 ¼ t.) de lait
muscade râpée
sel et poivre

Chauffez le beurre dans une poêle et faites revenir les champignons, pour attendrir. Parsemez de farine et cuisez 2 minutes en remuant. Incorporez le lait, portez à ébullition, puis faites mijoter 1 minute et ajoutez muscade, sel et poivre. Déposez sur 2 pommes de terre préparées et servez avec une salade verte.

HARICOTS À GOGO

POUR 2 POMMES DE TERRE

200 g (7 oz) de haricots cuits au four en conserve
50 g (2 oz) de cheddar ou gruyère, râpé
1 jet de sauce Worcestershire végétarienne
poivre

Chauffez les haricots et incorporez le fromage, la sauce et le poivre, puis déposez sur 2 pommes de terre préparées.

VERT ET OR

POUR 2 POMMES DE TERRE

50 g (2 oz) de petits pois congelés
50 g (2 oz) de maïs congelé
100 g (4 oz) de fromage cottage
sel et poivre

Cuisez les pois et le maïs selon les indications sur les emballages. Égouttez les légumes et mélangez au fromage. Salez et poivrez, puis déposez sur 2 pommes de terre préparées.

RATATOUILLE

Utilisez un reste de ratatouille (voir p. 53) pour garnir des pommes de terre préparées.

Scones au fromage

Ces petits pains anglais sont délicieux avec la soupe et aussi très populaires au petit-déjeuner et à l'heure du thé.

DONNE 24 MINI-SCONES

225 g (8 oz) de farine de blé entier
avec levure
1 pincée de sel
1 c. à café de moutarde en poudre
1 c. à café de bicarbonate de soude

1 c. à café de fines herbes sèches
3 c. à soupe de beurre
100 g (4 oz) de cheddar ou gruyère, râpé
150 ml (⅔ t.) de lait
un peu de lait pour badigeonner

Tamisez ensemble la farine, le sel, la moutarde, le bicarbonate et les fines herbes. Avec les doigts, émiettez le beurre dans la farine, puis incorporez la moitié du fromage et mélangez pour obtenir une pâte. Déposez la pâte sur une surface farinée et pétrissez délicatement. Étendez au rouleau jusqu'à 2,5 cm (1 po) d'épais et coupez en disques. Déposez sur une plaque à biscuits huilée et parsemez du reste du fromage. Cuisez au four à 220 °C (425F°) 10 minutes, pour que les scones sonnent creux lorsqu'on les tape dessous. Laissez refroidir sur une grille.

Fondue galloise « oreilles de lapin »

Cette fondue est inspirée du célèbre *Welsh rarebit* : les demi-muffins
ont la forme d'oreilles de lapin, d'où son nom. Le « Marmite » est un extrait
de levure, disponible dans les épiceries fines.

DONNE 4 FONDUES

1 *muffin anglais, coupé en 2 sur l'épaisseur*   2 *oignons verts, hachés fin*
un peu de Marmite ou Vegemite   50 *g (2 oz) de cheddar ou emmenthal, râpé*
1 *c. à soupe de beurre*   *un peu de lait*

Faites griller légèrement les demi-muffins. Coupez chacun en deux demi-cercles et tartinez de Marmite ou Vegemite. Faites fondre le beurre dans une casserole, ajoutez les échalotes et faites revenir, pour attendrir. Incorporez le fromage avec un peu de lait, pour obtenir une consistance homogène. Quand le mélange est crémeux, versez sur les 4 « oreilles de lapin » et servez avec du ketchup.

Galettes de pommes de terre

Ces galettes sont très bonnes au goûter ou comme légumes d'accompagnement
au repas. Servez-les avec une purée de pommes ou de la crème sûre.

DONNE 8 GALETTES

450 *g (1 lb) de purée de pommes de terre*   *persil haché*
100 *g (⅔ t.) de farine*   *sel et poivre*
100 *g (½ t.) de beurre*   *beurre pour la friture*

Combinez la purée et la farine, puis incorporez le beurre, le persil, sel et poivre. Façonnez la pâte en galettes d'environ 3,5 cm (1 ½ po) de diamètre. Faites chauffer un peu de beurre dans une grande poêle. Quand il est brûlant, ajoutez les galettes et cuisez 5 à 7 minutes de chaque côté, pour faire dorer. Servez sur-le-champ.

☺ | ☹

Frittata

La plupart des tout-petits adorent cette omelette à l'italienne :
préparez-la aussi avec d'autres légumes pour les faire connaître
à votre gourmet en herbe.

DONNE 4 PORTIONS D'ADULTE

1 c. à soupe d'huile d'olive
4 courgettes, tranchées
1 poivron rouge, épépiné et haché
1 pomme de terre moyenne, bouillie
et coupée en dés
1 gousse d'ail, hachée fin

6 œufs
1 botte d'oignons verts, hachés fin
1 c. à soupe de basilic haché
1 c. à soupe de persil haché
sel et poivre

Chauffez l'huile dans une grande poêle, ajoutez les courgettes et le poivron, puis faites revenir, pour attendrir. Incorporez la pomme de terre et l'ail. Dans un bol, battez les œufs et ajoutez-y les oignons verts, le basilic, le persil, sel et poivre. Versez les œufs sur les légumes dans la poêle et cuisez à feu doux, pour brunir le dessous. Placez la poêle sous le gril chaud et faites dorer la frittata. Coupez en pointes et servez chaud ou froid.

☺ | ☹

Salade de pâtes

Plusieurs tout-petits ne raffolent pas de la salade, mais quand elles comportent leurs aliments préférés (des pâtes, par exemple), ils en mangent volontiers.

DONNE 4 PORTIONS D'ADULTE

225 g (8 oz) de pâtes de fantaisie, cuites
1 poivron rouge, pelé, épépiné et blanchi
1 poivron vert, pelé, épépiné et blanchi
100 g (4 oz) de maïs en conserve

100 g (4 oz) de petits pois congelés, cuits
2 tomates, pelées, épépinées et hachées
3 c. à soupe d'huile d'olive
sel et poivre

Mélangez ensemble dans un bol les pâtes et tous les légumes. Ajoutez l'huile d'olive, sel et poivre, et touillez.

Salade tricolore

Cette version modeste de la classique *insalata tricolore* a tout pour plaire aux enfants : couleurs vives, saveurs douces et textures crémeuses.

DONNE 4 PORTIONS D'ADULTE

225 g (8 oz) de tomates cerises,
coupées en quartiers
1 avocat moyen, pelé, dénoyauté et haché

150 g (5 oz) de mozzarella, coupée en dés
2 c. à soupe d'huile d'olive
sel et poivre

Mélangez ensemble dans un bol les tomates, l'avocat et le fromage. Aspergez d'huile d'olive, salez et poivrez. Servez avec des morceaux de baguette.

Salade de riz au curry

Cette salade nutritive et légèrement épicée accompagne très bien
les brochettes de tofu ou les burgers végétariens.

DONNE 6 PORTIONS D'ADULTE

200 g (1 t.) de riz basmati
1 c. à café de curcuma
sel
400 g (14 oz) de lentilles vertes
en conserve, égouttées
100 g (4 oz) de petits pois, cuits

100 g (4 oz) de jeunes épinards (sans les
tiges), lavés et tranchés fin
VINAIGRETTE
4 c. à soupe d'huile d'olive
1 c. à soupe de sauce de soja
1 c. à soupe de chutney à la mangue
½ c. à café de curry doux en poudre

Cuisez le riz selon les indications sur l'emballage avec le curcuma et le sel, pour
attendrir. Puis incorporez les lentilles, les pois et les épinards. Combinez les
ingrédients de la vinaigrette dans un petit bol et versez sur la salade. Touillez bien
et faites refroidir au frigo.

Pain à l'ail

Si vous croyez que les jeunes enfants n'aiment pas l'ail, vous changerez vite d'avis quand vous déposerez devant votre tout-petit une corbeille de pain à l'ail. Pour le rendre plus nutritif, ajoutez un peu de fromage râpé au beurre.

POUR 1 BAGUETTE

1 *petite baguette*
75 *g (⅓ t.) de beurre, ramolli*
1 *c. à café de persil haché*

2 *gousses d'ail, hachées très fin*
sel et poivre

Tranchez la baguette, mais sans la couper complètement. Mélangez ensemble le beurre, le persil, l'ail, sel et poivre. Tartinez de ce mélange les surfaces coupées du pain, puis enveloppez la baguette dans du papier aluminium et cuisez au four à 200 °C (400 °F) 10 à 15 minutes, pour faire fondre le beurre et rendre la croûte croustillante.

☺ ☹

PLATS PRINCIPAUX

Sauce bolonaise végétarienne

Tous les enfants à qui j'ai servi cette sauce l'ont adorée. Cette recette donne une bonne quantité de sauce, car elle se congèle très bien et vous dépannera en cas d'urgence.

DONNE 8 PORTIONS D'ADULTE

4 c. à soupe d'huile d'olive
1 gros oignon, haché
2 gousses d'ail, écrasées
1 c. à soupe de basilic haché
1 c. à café d'origan sec
1 feuille de laurier
1 carotte, pelée et coupée en dés
1 tige de céleri, haché fin
1 poivron rouge, épépiné et haché

175 g (6 oz) de petits champignons, coupés en 4
2 c. à soupe de concentré de tomates
150 ml (⅔ t.) de vin rouge
1 c. à soupe de sauce de soja foncé
sel et poivre
225 g (8 oz) de tomates en conserve, hachées
800 g (28 oz) de lentilles blondes
en conserve, égouttées
1 c. à soupe de persil plat haché

Chauffez l'huile dans un faitout et faites revenir l'oignon, l'ail, le basilic, l'origan et le laurier, pour rendre l'oignon translucide. Ajoutez la carotte, le céleri et le poivron. Cuisez encore quelques minutes, puis mettez les champignons. Quand ceux-ci se flétrissent un peu, incorporez le reste des ingrédients. Portez à ébullition, couvrez et faites mijoter environ 40 minutes. Laissez refroidir, puis versez dans le bol du robot de cuisine et réduisez en purée grossière (pour une texture moins raffinée, ne passez que la moitié de la sauce au robot). Avant de servir, réchauffez et rectifiez l'assaisonnement.

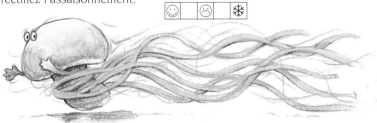

Lasagne aux champignons

Souvent, les tout-petits refusent de manger des champignons.
Mais ce plat de pâtes est si savoureux, qu'ils font une exception dans ce cas-ci.

DONNE 6 PORTIONS D'ADULTE

SAUCE CHAMPIGNONS TOMATES
2 c. à soupe de beurre
2 oignons, pelés et hachés
225 g (8 oz) de champignons,
brossés et émincés
2 gousses d'ail, écrasées
1 c. à soupe de persil plat haché
1 c. à soupe de basilic haché
4 c. à soupe de concentré de tomate
400 g (14 oz) de tomates en conserve,
hachées (remplacez une partie du jus avec
du vin rouge, si désiré)
1 c. à soupe de sauce soja

1 c. à café de miel
sel et poivre
SAUCE AU FROMAGE
3 c. à soupe de beurre
100 g (⅔ t.) de farine
600 ml (2 ½ t.) de lait
225 g (8 oz) de cheddar ou mozzarella, râpé
1 pincée de moutarde en poudre
1 pincée de muscade râpée
225 g (8 oz) de lasagne aux épinards
(type sans précuisson)
450 g (1 lb) d'épinards hachés congelés,
décongelés et égouttés

Pour la sauce champignons tomates, faites fondre le beurre dans une casserole et faites revenir les oignons pour les rendre translucides. Ajoutez les champignons, l'ail, le persil et le basilic, puis continuez de cuire à feu doux. Incorporez le concentré de tomate et les tomates, la sauce soja, le miel, sel et poivre, et faites mijoter 10 minutes.

Pour la sauce au fromage, faites fondre le beurre dans une casserole, ajoutez la farine et cuisez 2 à 3 minutes en remuant. Incorporez le lait et portez à ébullition, puis faites mijoter 1 minute. Retirez du feu et ajoutez la moitié du fromage, sel et poivre.

Beurrez un grand plat à four et disposez-y en couches les lasagnes, la sauce au fromage, les épinards et la sauce champignons tomates. Répétez les couches et terminez avec des lasagnes couvertes de sauce au fromage. Parsemez le reste du fromage et cuisez au four à 180° (350 °F) 40 minutes. Laissez tiédir 10 minutes avant de servir.

☺ ☹ ❄

Sauce mascarpone

Cette merveilleuse sauce crémeuse accompagne bien toutes les pâtes.
Pour stimuler son intérêt et son appétit, laissez votre petit choisir des pâtes
de fantaisie aux formes amusantes.

DONNE 4 PORTIONS D'ADULTE

2 c. à soupe d'huile d'olive
1 oignon, haché fin
1 gousse d'ail, hachée fin
1 c. à soupe de persil plat haché
1 c. à soupe de feuilles de basilic hachées

400 g (14 oz) de tomates en conserve,
hachées
½ c. à café de miel
sel et poivre
225 g (8 oz) de mascarpone

Chauffez l'huile dans une casserole et faites revenir l'oignon et l'ail, pour attendrir mais sans colorer. Mettez le persil et le basilic, cuisez 1 minute, puis incorporez les tomates, le miel, sel et poivre. Ajoutez 85 ml (⅓ t.) d'eau, portez à ébullition et faites mijoter à feu doux 30 minutes. Puis incorporez le mascarpone, réchauffez et rectifiez l'assaisonnement.

Couscous de l'île au trésor

Quand mon fils se méfiait encore des morceaux dans son assiette,
nous prétendions que le couscous était la plage et les légumes,
les trésors enfouis dans le sable.

DONNE 6 PORTIONS D'ADULTE

2 c. à soupe d'huile d'olive
un peu d'huile d'olive pour le couscous
1 gros oignon, pelé et haché
100 g (4 oz) de carottes, tranchées
100 g (4 oz) de rutabagas, coupés en cubes
1 gousse d'ail, hachée fin
½ c. à café de gingembre râpé
1 pincée de cannelle en poudre
50 g (2 oz) d'abricots secs, hachés
50 g (2 oz) de raisins secs

1 L (4 t.) de bouillon de légumes
400 g (14 oz) de pois chiches en conserve,
égouttés
100 g (4 oz) d'okras, brossés et tranchés
1 courgette, tranchée
350 g (12 oz) de couscous
4 c. à soupe de beurre
sel et poivre
1 à 2 c. à soupe de coriandre hachée
(facultatif)

Pour la sauce, chauffez l'huile dans un faitout, mettez l'oignon, les carottes et les rutabagas, et faites revenir 10 minutes. Incorporez l'ail, le gingembre et la cannelle, et cuisez 2 minutes. Ajoutez les abricots, les raisins et le bouillon, et faites mijoter environ 20 minutes, pour attendrir les carottes. Ajoutez les pois chiches, les okras et la courgette, et cuisez encore 10 à 15 minutes.

Pour préparer le couscous, versez 350 ml (1 ½ t.) d'eau dans une casserole avec 1 c. à café de sel et un peu d'huile, et portez à ébullition. Retirez du feu, versez le couscous en pluie sur l'eau et laissez reposer environ 3 minutes, jusqu'à absorption de l'eau. Incorporez le beurre et séparez les grains de couscous à la fourchette.

Salez et poivrez la sauce, parsemez de coriandre (facultatif) et disposez sur un lit de couscous.

Gratin de chou-fleur et pommes de terre

Cette version plus substantielle du toujours populaire chou-fleur au fromage a une garniture croquante qui plaît bien aux tout-petits.

DONNE 6 PORTIONS D'ADULTE

1 gros chou-fleur

3 c. à soupe de beurre

450 g (1 lb) de pommes de terre nouvelles, cuites et tranchées

100 g (4 oz) de gruyère, râpé

sel et poivre

2 œufs, battus

50 ml (¼ oz) de yogourt grec (à culture bactérienne active)

40 g (1 ½ oz) de chips non salées, émiettées fin

Séparez le chou-fleur en fleurettes et cuisez à la vapeur, pour attendrir. Beurrez un plat à gratin et disposez-y en couches le chou-fleur, les pommes de terre et le fromage. Salez et poivrez chaque couche et répétez les couches en terminant avec une couche de fromage. Combinez les œufs et le yogourt, puis déposez à la cuiller sur le fromage et parsemez les chips dessus. Cuisez au four à 200 °C (400 °F) 30 minutes, pour faire bouillonner et gratiner.

Ragoût du bonhomme hiver

Mon fils a baptisé ce plat ainsi, parce que je ne le prépare que les jours très froids. Pour les tout-petits plus jeunes, écrasez un peu les légumes. Servez avec une purée de pommes de terre ou des dumplings.

DONNE 4 PORTIONS D'ADULTE

4 c. à soupe d'huile végétale
350 g (12 oz) de petits oignons, pelés
1 gousse d'ail, écrasée
2 tiges de céleri, tranchées
2 grosses carottes, pelées et coupées en morceaux
2 gros panais, pelés et coupés en morceaux
225 g (8 oz) de pulpe de citrouille, coupée en cube
3 c. à soupe de farine

300 ml (1 ¼ t.) de bouillon de légumes
275 ml (1 ⅛ t.) de bière brune
1 c. à soupe de sauce Worcestershire végétarienne
2 c. à soupe de persil plat haché
2 feuilles de laurier
1 bouquet garni
2 c. à soupe de concentré de tomate
sel et poivre

Chauffez l'huile dans un faitout allant au four et faites revenir les oignons, l'ail et le céleri, pour faire dorer. Ajoutez les autres légumes et faites brunir de toutes parts. Saupoudrez la farine sur les légumes et mélangez bien, pour incorporer. Ajoutez le bouillon, la bière, la sauce Worcestershire, le laurier, le bouquet garni et le concentré de tomate. Salez, poivrez et portez à ébullition en remuant. Couvrez et cuisez au four à 180 °C (350 °F) environ 45 minutes, pour bien attendrir tous les légumes.

Pudding au pain et fromage

Ce plat salé, qui est une version d'un des desserts préférés des tout-petits
(voir p. 130), est délicieux avec une salade de tomates cerises.

DONNE 4 PORTIONS D'ADULTE

2 c. à soupe de beurre
un peu de beurre, pour tartiner
1 gros poireau, haché très fin
½ c. à café de thym sec
100 g (4 oz) de cheddar fort, râpé
75 g (3 oz) de parmesan, râpé

½ c. à café de moutarde en poudre
1 c. à soupe de ciboulette hachée (facultatif)
8 tranches de pain de mie, sans croûtes
3 œufs
500 ml (2 t.) de lait
sel et poivre

Chauffez le beurre dans une poêle à frire, ajoutez le poireau et le thym, et cuisez à feu doux environ 20 minutes, pour attendrir et colorer un peu. Combinez les fromages, la moutarde et la ciboulette. Beurrez les tranches de pain et un grand plat à four. Mettez 4 tranches de pain en une seule couche dans le fond du plat, étendez dessus le poireau et couvrez avec la moitié du fromage. Disposez par-dessus le reste du pain et du fromage. Battez les œufs avec le lait, sel et poivre, et versez ce mélange sur le pain et le fromage. Laissez reposer 30 minutes, puis cuisez au four à 190 °C (375 °F) 30 minutes, pour faire lever et gratiner.

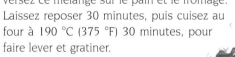

Haricots du Far West

Tous les enfants adorent les haricots au four, même ceux vendus
au supermarché. Mais si vous avez le temps, c'est amusant
de préparer votre propre recette.

DONNE 6-8 PORTIONS D'ADULTE

1 c. à soupe d'huile d'olive
½ oignon, pelé et haché fin
1 gousse d'ail, pelée et écrasée
200 g (7 oz) de tomates en conserve, hachées
2 c. à soupe de sauce soja
150 ml (⅔ t.) de jus de pomme

2 c. à soupe de mélasse
1 jet de sauce Worcestershire végétarienne
1 c. à soupe de moutarde forte
sel et poivre
800 g (28 oz) de haricots blancs
en conserve, égouttés

Chauffez l'huile dans une casserole, mettez l'oignon et l'ail, et faites suer pour attendrir. Incorporez les tomates, la sauce soja, le jus de pomme, la mélasse, la sauce Worcestershire et la moutarde. Portez à ébullition et faites mijoter 15 minutes, pour faire réduire un peu. Ajoutez les haricots et faites mijoter 20 à 30 minutes. Salez et poivrez. Servez avec des mini-saucisses Glamorgan (voir p. 135), des pommes de terre au four, des hot-dogs végétariens ou des mini-végéburgers (voir p. 136).

Daube végétarienne

La plupart des enfants aiment bien les plats aigres-doux. Ce plat inventé
par Heather Mairs, la directrice d'une école de cuisine végétarienne,
remporte beaucoup de succès parmi la jeune génération.
Vous pouvez utiliser n'importe lesquelles des excellentes saucisses
végétariennes en vente dans les supermarchés.

DONNE 4-6 PORTIONS D'ADULTE

8 saucisses végétariennes
750 g (1 ½ lb) de pommes de terre, pelées
et coupées en cubes
2 c. à soupe d'huile végétale
1 gros oignon, pelé et haché fin
2 gousses d'ail, écrasées
1 feuille de laurier
2 c. à café de thym sec

450 g (1 lb) de carottes, tranchées
1 grosse pomme, pelée, évidée et
coupée en cubes
400 g (14 oz) de tomates en conserve,
hachées
300 ml (1 ¼ t.) de jus de pomme ou cidre
1 c. à soupe de concentré de tomate
sel et poivre

Faites griller les saucisses, pour bien brunir, puis coupez en morceaux et réservez. Plongez les pommes de terre dans l'eau bouillante salée 5 minutes, puis
égouttez. Chauffez l'huile dans un faitout et faites revenir l'oignon, pour attendrir.
Mettez l'ail, le laurier et le thym, et faites revenir encore 2 minutes. Ajoutez les
carottes et la pomme, et cuisez 5 minutes. Incorporez les tomates, le jus de
pomme (ou cidre) et le concentré de tomate. Portez à ébullition et faites mijoter
15 minutes. Finalement, ajoutez les pommes de terre et les saucisses au mélange
de légumes, salez et poivrez, puis faites mijoter 10 à 15 minutes.

Hachis préhistorique

Mon père est un mangeur de viande inconditionnel qui ne comprend pas
qu'on puisse bien s'alimenter avec un régime végétarien.
Pour le convaincre du contraire, j'ai inventé ce plat sans viande
afin qu'il puisse le déguster avec nous.

DONNE 4-6 PORTIONS D'ADULTE

450 g (1 lb) de hachis végétarien
(disponible dans le commerce)
1 gros oignon, pelé et haché
1 grosse carotte, pelée et coupée en dés
750 g (1 ½ lb) de pommes de terre, pelées
et coupées en cubes

sel et poivre
bouillon de légumes
225 g (8 oz) de pâte brisée
1 œuf, battu

Mettez le hachis végétarien avec les légumes dans un plat de terre cuite profond, salez, poivrez et ajoutez assez de bouillon pour couvrir. Couvrez et cuisez au four à 180 °C (350 °F) environ 1 ½ à 2 heures. Retirez du four et augmentez la température à 200 °C (400 °F). Étendez la pâte au rouleau en une forme assez grande pour couvrir le dessus du plat et découpez des dinosaures dans les restes de pâte, pour décorer. Badigeonnez la pâte d'œuf battu et remettez le plat au four 15 à 20 minutes, pour faire dorer. Servez avec du chou cuit à la vapeur.

Sauté de légumes

Même les enfants qui n'aiment pas les légumes en mangent volontiers quand ils sont cuits de cette façon. Variez les combinaisons de légumes, selon les saisons et les goûts de votre petit.

DONNE 6 PORTIONS D'ADULTE

MARINADE
2 c. à soupe de sauce soja
zeste râpé et jus de 1 orange
1 gousse d'ail, écrasée
1 c. à soupe de miel
225 g (8 oz) de tofu, coupé en cubes
2 c. à soupe d'huile végétale
quelques gouttes d'huile de sésame
2 gousses d'ail, hachées fin

1 botte d'oignons verts, émincés
1 kg (2 lb) de légumes préparés : carottes,
poivrons rouges et verts, brocoli,
maïs miniatures, courgettes, laitue
100 g (4 oz) de demi-amandes ou
de noix de cajou, hachées ou moulues
1 c. à soupe de sauce soja
1 c. à soupe de mirin (vin de riz chinois)
ou sherry

Combinez la sauce soja, le zeste et jus d'orange, l'ail et le miel, et plongez-y les cubes de tofu. Laissez mariner au moins 1 heure. Chauffez les huiles végétale et de sésame dans un wok (ou une grande poêle). Faites sauter le tofu mariné 2 à 3 minutes, retirez du wok et égouttez sur du papier de cuisine.

Faites sauter l'ail et les oignons dans le wok 1 ou 2 minutes. Ajoutez les légumes dans l'ordre indiqué ci-dessus (selon la longueur de leur temps de cuisson) et faites sauter, pour les cuire *al dente*.

Entre-temps, cuisez les noix hachées ou moulues à sec dans une autre poêle, pour faire dorer. Incorporez la sauce soja, le mirin (ou sherry) et le tofu aux légumes. Parsemez les noix grillées sur le sauté et servez avec du riz.

Paella

Même si sa liste d'ingrédients est impressionnante, cette paella est très facile à préparer et mon fils la qualifie de «meilleur repas du monde». N'incluez pas les olives si votre tout-petit n'y est pas encore habitué.

DONNE 8 PORTIONS D'ADULTE

2 c. à soupe d'huile d'olive
1 oignon, pelé et haché
2 gousses d'ail, pelées et hachées
1 poivron rouge, épépiné et haché
1 poivron vert, épépiné et haché
1 feuille de laurier
1 grosse tomate, pelée, épépinée et hachée
4 c. à soupe de beurre
400 g (14 oz) de riz arborio
1 L (4 t.) de bouillon de légumes mêlé
à du vin blanc

½ c. à café de paprika
1 c. à café de curcuma
sel et poivre
8 saucisses fumées végétariennes
100 g (4 oz) de petits pois congelés
100 g (4 oz) de maïs congelé
100 g (4 oz) de petits champignons
50 g (2 oz) d'olives noires (facultatif)
persil plat (type italien) haché
quartiers de citron

Chauffez l'huile dans un wok, ajoutez l'oignon, l'ail, les poivrons et le laurier, et faites revenir 5 minutes. Incorporez la tomate, puis le beurre et, quand le mélange bouillonne, le riz (en vous assurant de bien l'enrober de beurre).

Dans une casserole, chauffez le bouillon et le vin avec le paprika, le curcuma, sel et poivre. Quand le riz est opaque, versez le liquide dessus. Mélangez bien et portez à ébullition. Réduisez le feu, couvrez avec un couvercle bien ajusté et faites mijoter 20 minutes à feu doux sans découvrir.

Entre-temps, cuisez les saucisses selon les indications sur l'emballage, puis coupez en morceaux. Ajoutez au riz les saucisses, les pois, le maïs et les olives (facultatif) au riz. Couvrez et cuisez encore 10 à 15 minutes. Pour servir, décorez de persil et de quartiers de citron.

Curry végétarien à la noix de coco

La douceur crémeuse du lait de coco charme même les palais les plus timides, surtout lorsque le curry est accompagné de *pappadums* (pain indien croustillant), de tranches de banane et de yogourt nature.

DONNE 4 PORTIONS D'ADULTE

1 c. à soupe d'huile végétale
1 oignon, pelé et haché fin
1 gousse d'ail, hachée
1 c. à soupe de curry doux en poudre

1 kg (2 lb) de légumes préparés : carottes, pommes de terre, chou-fleur, haricots verts
300 ml (1 ¼ t.) de lait de coco en conserve
sel et poivre
100 g (4 oz) de petits pois congelés
150 ml (⅔ t.) de yogourt nature

Chauffez l'huile dans un faitout, puis faites revenir l'oignon et l'ail, pour attendrir. Incorporez le curry et cuisez 1 ou 2 minutes. Ajoutez les légumes et faites sauter quelques minutes, en les enrobant d'épices. Versez le lait de coco (ajoutez un peu d'eau en plus, si nécessaire). Couvrez et faites mijoter à feu doux, pour presque attendrir les légumes (environ 20 minutes). Salez, poivrez et ajoutez les pois congelés, puis cuisez encore 15 minutes. Incorporez le yogourt et réchauffez à feu doux. Servez sur un lit de riz cuit dans l'eau.

125

Quiche aux poireaux

Les poireaux caramélisés confèrent à cette quiche un goût un peu sucré,
qui plaît aux enfants. Servez-la avec une salade.

DONNE 6 PORTIONS D'ADULTE

225 g (8 oz) de pâte brisée

4 c. à soupe de beurre

450 g (1 lb) de poireaux, lavés, préparés
et hachés fin

3 c. à soupe rases de farine

300 ml (1 ¼ t.) de lait

75 g (3 oz) de gruyère, râpé

2 œufs, battus

muscade râpée

sel et poivre

Étendez la pâte au rouleau et tapissez-en un moule à quiche de 23 cm (9 po). Faites fondre la moitié du beurre dans une casserole et ajoutez les poireaux. Couvrez et cuisez 20 minutes, pour attendrir et colorer. Entre-temps, faites fondre dans une autre casserole le reste du beurre, incorporez la farine et cuisez 1 à 2 minutes, sans colorer. Ajoutez le lait et battez au fouet jusqu'à l'obtention d'une sauce crémeuse. Faites mijoter 2 minutes, puis incorporez les poireaux cuits, le fromage, les œufs, la muscade, sel et poivre. Versez la sauce sur la pâte dans le moule et cuisez au four à 190 °C (375 °F) 30 à 35 minutes, pour faire lever et dorer.

DESSERTS

Tarte au citron de Thomas

Cette recette de la marraine de mon fils est un des desserts préférés de notre famille. Si la garniture n'épaissit pas, ajoutez un peu plus de jus de citron.

DONNE 8-10 PORTIONS D'ADULTE

4 c. à soupe de beurre
3 c. à soupe rases de sucre à la démérara
(à gros cristaux)
100 g (4 oz) de biscuits Graham, émiettés

300 ml (1 ¼ t.) de crème épaisse
400 g (14 oz) de lait condensé
zeste râpé et jus de 2 gros citrons
raisins verts, pour décorer

Faites fondre le beurre, puis incorporez le sucre et les biscuits émiettés. Pressez cette pâte sur le fond et les côtés d'un moule à tarte de 20 cm (8 po). Mettez la crème, le lait condensé, le zeste et le jus de citron dans un grand bol et battez au fouet, pour bien mélanger et faire épaissir un peu. Versez ce mélange sur la pâte dans le moule et réfrigérez pour faire prendre (au moins 3 heures). Pour servir, décorez avec les raisins verts.

Bananes au chocolat

Mon fils, comme la plupart des petits, adore les bananes et le chocolat. Cette recette inhabituelle accomplit des merveilles avec peu de chocolat.

DONNE 4 PORTIONS D'ADULTE

4 grosses bananes non pelées
100 g (4 oz) de chocolat noir ou au lait

4 c. à café de noix assorties, hachées fin
(ou moulues)

Coupez les bouts des bananes mais ne pelez pas celles-ci. Essuyez les pelures, puis coupez en deux sur la longueur mais pas jusqu'à la pelure en dessous. Fourrez le chocolat dans la fente de chaque banane, puis enveloppez chacune individuellement et bien serrée dans du papier aluminium. Cuisez les bananes au four à 200 °C (400 °F) 25 minutes, pour noircir la pelure et attendrir la pulpe. Parsemez les noix hachées sur le chocolat et servez avec une cuiller, pour que votre petit s'amuse à prendre ce délicieux mélange directement dans la pelure.

Diplomate aux framboises

Le goût sucré du gâteau et de la confiture compense le goût un peu acidulé des framboises, qui pourrait déplaire aux tout-petits. Pour varier, servez dans des verres à parfait ou préparez ce dessert avec des fraises.

DONNE 6 PORTIONS D'ADULTE

1 gâteau roulé fourré à la confiture de framboises
225 g (8 oz) de framboises, lavées et équeutées
1 paquet de cristaux pour gelée à la framboise
végétarienne (en boutiques d'aliments naturels)

300 ml (1 ¼ t.) de crème pâtissière
300 ml (1 ¼ t.) de crème épaisse (ou un
mélange de crème et de yogourt grec), fouettée
copeaux de chocolat, pour décorer

Tranchez le gâteau roulé et utilisez les tranches pour tapisser le fond et les bords d'un moule à soufflé. Disposez les framboises sur le gâteau. Préparez la gelée selon les indications sur l'emballage, puis versez sur le gâteau et les framboises. Réfrigérez pour faire prendre. Ensuite, déposez à la cuiller la crème pâtissière sur le diplomate, couvrez de crème fouettée (mélangée à du yogourt, si désiré) et décorez avec les copeaux de chocolat.

Croûte de fruits d'été à la noisette

Tous les convives aiment ce dessert, et les tout-petits ne font pas exception. Cette version est particulièrement irrésistible et, grâce aux noisettes, très nutritive.

DONNE 6 PORTIONS D'ADULTE

225 g (8 oz) de fraises, lavées et équeutées
225 g (8 oz) de bleuets (myrtilles), lavés
2 c. à soupe de sucre ordinaire
100 g (½ t.) de sucre à la démérara
(à gros cristaux)

100 g (4 oz) de noisettes grillées, hachées
fin ou moulues
100 g (⅔ t.) de farine de blé entier
100 g (½ t.) de beurre

Mettez les fruits dans un plat à four peu profond et saupoudrez de sucre ordinaire. Dans un grand bol, incorporez le sucre démérara et les noisettes à la farine. Puis, avec les doigts, émiettez le beurre dans le mélange. Déposez à la cuiller cette garniture sur les fruits et répartissez ensuite également. Cuisez au four à 200 °C (400 °F) 30 à 40 minutes. Servez avec du yogourt nature ou de la crème.

Pudding au pain

Un autre dessert classique des tout-petits, qui l'aiment à cause
de sa texture moelleuse. La confiture d'abricot le rend un peu plus sucré,
un autre bon point pour les gourmets en herbe.

DONNE 6 PORTIONS D'ADULTE

75 g (3 oz) de raisins blonds secs
2 c. à soupe de jus d'orange
300 ml (1 ¼ t.) de lait
50 g (¼ t.) de sucre
1 gousse de vanille

3 œufs
150 ml (⅔ t.) de crème épaisse
8 tranches minces de pain de mie, beurrées
75 g (3 oz) de confiture d'abricots

Mettez les raisins et le jus dans un petit bol et faites macérer quelques heures. Chauffez le lait avec le sucre et la vanille dans une petite casserole, puis laissez refroidir et infuser avant de retirer la gousse de vanille.

Battez ensemble les œufs et la crème, puis incorporez le lait refroidi. Tartinez de confiture 4 tranches de pain puis réunissez en sandwich avec les autres tranches. Enlevez les croûtes. Déposez les 4 sandwichs côte à côte dans un plat à gratin peu profond et disposez dessus les raisins. Versez le mélange œufs-crème sur le pain et laissez reposer 1 heure. Placez le plat à gratin dans un grand plat à four profond rempli à moitié d'eau chaude et cuisez au four à 170 °C (325 °F) 1 heure, pour rendre la surface dorée et croustillante. Servez tiède plutôt que chaud.

Carrés pomme-cannelle

Délicieux au goûter, ces petits gâteaux fruités peuvent aussi être servis
comme dessert, avec une crème anglaise.

DONNE 20 CARRÉS

225 g (8 oz) (*poids après préparation*) *de
pommes, pelées, évidées et hachées*
100 g (½ t.) *de sucre*
100 g (½ t.) *de cassonade*
75 g (3 oz) *de noix assorties, hachées fin
ou moulues*

1 c. à café *de cannelle en poudre*
125 g (⅔ t.) *de beurre*
2 *œufs*
175 g (1 ¼ t.) *de farine avec levure*
250 ml (1 t.) *de crème sûre*

Mettez les pommes dans une casserole avec le quart du sucre et cuisez à feu
doux, pour attendrir, puis battez pour réduire en purée grossière. Dans un
bol, mélangez ensemble la cassonade, les noix, la cannelle et un tiers du beurre.

Dans un plus grand bol, battez ensemble le reste du beurre et du sucre, puis
ajoutez la farine tamisée et mélangez pour obtenir une pâte. Incorporez ensuite la
crème sûre à la pâte. Beurrez et farinez un moule à gâteau carré de 20 cm (8 po).
Déposez-y à la cuiller la moitié de la pâte, puis répartissez également. Parsemez la
moitié du mélange cassonade-noix sur la pâte, puis étendez la purée de pommes
par-dessus. Couvrez avec l'autre moitié de la pâte et garnissez avec le reste du
mélange de cassonade-noix. Cuisez au four à 180 °C (350 °F) 1 heure, pour rendre
ferme au toucher. Laissez refroidir sur une grille.

FAISONS LA FÊTE !

Pailles au fromage et à la tomate

Elles sont jolies et délicieuses, et on peut les plonger dans le *guacamole* ou toute autre trempette. Mais attention : elles s'émiettent facilement, alors gare à votre tapis persan ! La pâte feuilletée prête à utiliser se vend dans les boulangeries et supermarchés.

DONNE 40 PAILLES

3 c. à soupe de concentré de tomates séchées
au soleil
350 g (12 oz) de pâte feuilletée
poivre

2 c. à café de paprika
1 œuf battu, pour badigeonner
50 g (2 oz) de pecorino, râpé

Étendez la pâte et tartinez le concentré de tomates sur la surface, poivrez et saupoudrez de paprika. Repliez la pâte en deux, badigeonnez d'œuf battu et parsemez de pecorino. Repliez encore la pâte en deux, puis étendez-la au rouleau à la dimension originale. Découpez en 20 languettes fines, tortillez chacune quelques fois, puis coupez en deux. Disposez sur une plaque à biscuit humidifiée et cuisez au four à 220 °C (425 °F) 20 minutes.

Pizzas amusantes

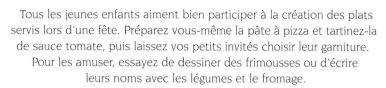

Tous les jeunes enfants aiment bien participer à la création des plats servis lors d'une fête. Préparez vous-même la pâte à pizza et tartinez-la de sauce tomate, puis laissez vos petits invités choisir leur garniture. Pour les amuser, essayez de dessiner des frimousses ou d'écrire leurs noms avec les légumes et le fromage.

DONNE 8 PIZZAS DE 20 CM (8 PO)

PÂTE
1 kg (7 t.) de farine
2 c. à café de sel
2 c. à café de levure rapide
600 ml (1 ¼ t.) d'eau tiède mélangée à
4 c. à soupe d'huile d'olive
SAUCE TOMATE
2,4 kg (84 oz) de tomates en conserve, hachées
3 c. à soupe de concentré de tomate

1 pincée de sucre
sel et poivre
GARNITURE
mozzarella, râpée
tomates fraîches, tranchées
poivrons rouges, rôtis
maïs miniatures, cuits
tranches de courgettes, rôties
champignons, sautés

Tamisez ensemble la farine et le sel, puis incorporez la levure. Creusez un puits au centre de la farine, versez-y l'eau et l'huile, puis mélangez pour obtenir une pâte. Déposez la pâte sur une surface farinée et pétrissez 10 minutes, pour rendre flexible et homogène. Étendez la pâte au rouleau et façonnez 8 disques de 20 cm (8 po). Placez-les sur des plaques à four et laissez lever dans un endroit tiède 30 minutes.

Entre-temps, mettez les ingrédients de la sauce dans un faitout. Portez à ébullition et faites mijoter 20 à 30 minutes, pour réduire et épaissir la sauce. Quand la sauce est refroidie, tartinez-en une mince couche sur chaque pizza. Garnissez les pizzas selon les choix des convives, puis cuisez au four à 220 °C (425 °F) environ 20 minutes.

Mini-feuilletés aux marrons

Mon fils adore ces hors-d'œuvre avec un peu de chutney à la mangue. Pour les enfants plus grands, essayez de remplacer le paprika par du chili en poudre.

DONNE 48 FEUILLETÉS

225 g (8 oz) de purée de marrons
non sucrée en conserve
1 petit oignon, râpé
1 petite pomme, pelée et râpée
1 gousse d'ail, écrasée

1 c. à soupe de jus de citron
1 c. à soupe de sauce soja
100 g (4 oz) de chapelure
1 pincée de paprika
225 g (8 oz) de pâte feuilletée

Combinez la purée de marrons, l'oignon, la pomme, l'ail, le jus de citron, la sauce soja, la chapelure et le paprika, puis laissez reposer 30 minutes. Découpez la pâte feuilletée en languettes de 2,5 cm (1 po) de large. Façonnez le mélange de marrons en longues saucisses minces sur les languettes de pâtes. Humidifiez les bords de la pâte, puis roulez les languettes autour des «saucisses». Piquez la pâte avec une fourchette et coupez en longueurs de 2,5 cm (1 po). Placez les feuilletés sur une plaque à biscuits (avec le joint au-dessous) et cuisez au four à 190° C (375 °F) 5 à 10 minutes, pour rendre dorés et croustillants.

Mini-saucisses Glamorgan

Servez ces savoureux hors-d'œuvre froids et piqués sur des bâtonnets à cocktail. Vous verrez qu'ils disparaîtront très vite.

DONNE 16 SAUCISSES

175 g (6 oz) de chapelure de blé entier fraîche
100 g (4 oz) de cheddar fort, râpé
1 oignon, pelé et râpé
1 c. à soupe de persil plat haché fin
½ c. à café de moutarde en poudre

sel et poivre
1 œuf, battu avec un peu de lait
farine, pour enrober
huile végétale, pour frire

Dans un bol, mélangez la chapelure, le fromage, l'oignon, le persil, la moutarde, sel et poivre. Liez le mélange avec l'œuf et un peu de lait (la quantité dépendra de la sécheresse de la chapelure). Divisez la pâte en 16 parts et façonnez en petites saucisses. Roulez les saucisses dans la farine, puis réfrigérez au moins 30 minutes. Chauffez un peu d'huile dans une grande poêle et cuisez les saucisses environ 5 minutes, pour faire dorer.

Pommes de terre rôties

Mon fils les appelle ses grosses frites et il les mange avec son cher ketchup.
On peut aussi les servir avec une trempette de crème sûre et ciboulette.
Si votre petit aime l'ail, écrasez une gousse dans l'huile avant de badigeonner
les pointes de pommes de terre.

DONNE 20 POINTES

5 pommes de terre moyennes
85 ml (⅓ t.) d'huile d'olive
sel

Brossez les pommes de terre et coupez chacune sur la longueur en 4 pointes. Faites-les bouillir à feu vif 5 minutes, égouttez, puis remettez dans la casserole, couvrez et remuez vigoureusement (ceci durcit les surfaces et assure un résultat croustillant). Chauffez l'huile dans un plat à four, ajoutez les pommes de terre et tournez-les pour les enrober d'huile, puis salez et cuisez au four à 220 °C (425 °F) 30 à 40 minutes, pour rendre dorées et croustillantes.

Mini-végéburgers

Les parents d'enfants végétariens peuvent essayer d'ignorer la question
des burgers, mais tôt ou tard leurs petits voudront en manger. La solution :
servez-leur ces burgers végétariens très nutritifs faits avec du hachis végétarien
disponible dans les boutiques d'aliments naturels et certaines épiceries.

DONNE 8-10 BURGERS

1 c. à soupe d'huile d'olive
1 petit oignon, pelé et râpé
1 petit poivron rouge, épépiné et haché fin
2 gousses d'ail, hachées fin
1 œuf, battu

750 g (1 ½ lb) de hachis végétarien, décongelé
sel et poivre
farine, pour enrober
huile végétale, pour frire

Chauffez l'huile dans une poêle et faites revenir l'oignon et le poivron, pour attendrir et brunir un peu. Ajoutez l'ail, cuisez encore 1 minute et transférez le mélange dans un bol. Incorporez l'œuf, le hachis végétarien, sel et poivre, et mélangez bien. Façonnez en 8 petits burgers, enrobez d'un peu de farine et faites frire dans un peu d'huile, pour brunir de toutes parts. Servez dans des petits pains avec de la laitue et du ketchup.

Yogourt glacé aux fruits

Cette alternative santé remplace avantageusement les crèmes glacées commerciales. Les purée de mangues, de fraises ou d'ananas sont excellentes pour cette recette (préparez-les au robot de cuisine avec un peu de sucre, si nécessaire).

DONNE 4-6 PORTIONS

300 ml (1 ¼ t.) de purée de fruits
300 ml (1 ¼ t.) de yogourt grec (à culture bactérienne active)

Mélangez ensemble la purée de fruits et le yogourt dans le robot de cuisine, pour bien combiner. Versez le mélange dans un contenant peu profond et mettez au congélateur 1 à 2 heures. Quand des cristaux se forment sur le pourtour du contenant, reversez le yogourt dans le robot de cuisine et mélangez pour rendre homogène. Remettez au congélateur et faites bien congeler. Laissez à la température ambiante 15 minutes avant de servir. On peut aussi utiliser une sorbetière.

Biscuits d'animaux

La plupart des enfants aiment les aliments aux formes anthropomorphiques :
découpez ces biscuits avec des emporte-pièce aux formes d'animaux.

DONNE 10-16 BISCUITS

100 g (½ t.) de beurre	100 g (⅔ t.) de farine
6 c. à soupe de sucre	75 g (½ t.) de farine de maïs
zeste râpé fin de 1 orange	40 g (1 ½ oz) de noix de coco sèche râpée

Battez ensemble le beurre, le sucre et le zeste d'orange. Ajoutez les autres ingrédients et continuez de battre pour obtenir une pâte. Façonnez-la en boule et déposez sur une surface farinée. Étendez la pâte au rouleau, puis découpez avec des emporte-pièce aux formes d'animaux. Placez les morceaux de pâte sur des plaques à biscuits non huilées et cuisez au four à 170 °C (325 °F) 15 minutes. Laissez refroidir sur une grille.

Bonhommes de fête

Utilisez des raisins secs, des cerises au marasquin et autres décorations alimentaires pour donner de la personnalité à ces «frimousses» en biscuits.

DONNE 40 BISCUITS

450 g (1 lb) de farine
1 c. à café de levure chimique (poudre à pâte)
¼ c. à café de sel
225 g (1 t.) de beurre
200 g (1 t.) de sucre
2 œufs
quelques gouttes d'extrait de vanille

GLACE

175 g (1 ¼ t.) de sucre à glacer, tamisé
1 c. à soupe de beurre, ramolli
4 c. à café d'eau bouillante
raisins secs, cerises au marasquin, copeaux de chocolat, paillettes de sucre coloré, etc., pour décorer

Tamisez ensemble dans un grand bol la farine, la levure et le sel. Avec les doigts, émiettez le beurre dans la farine, puis incorporez le sucre. Dans un petit bol, battez les œufs avec la vanille, puis mélangez à la farine pour obtenir une pâte ferme. Étendez la pâte au rouleau sur une surface farinée jusqu'à une épaisseur assez mince, puis découpez avec un emporte-pièce rond de 7,5 cm (3 po). Placez les disques de pâtes sur des plaques à biscuits huilées. Cuisez au four à 180 °C (350 °F) 12 minutes, pour faire dorer et, sur le pourtour, brunir légèrement. Laissez refroidir sur une grille.

Mélangez ensemble les ingrédients de la glace, puis recouvrez chaque biscuit refroidi d'une couche lisse de glace. Décorez les frimousses des «bonhommes» avec, par exemple, des copeaux de chocolat pour les yeux, des lamelles de cerises pour les lèvres, des raisins secs pour le nez et des paillettes de sucre pour les cheveux. (N'utilisez pas de billes en sucre ou d'autres décorations du même genre, qui sont trop dangereuses pour les tout-petits.) Vous pouvez aussi ajouter des moustaches ou barbes, des lunettes, des boucles d'oreilles, etc.

Carrés au chocolat

Ces petits gâteaux plaisent toujours beaucoup aux enfants et aux adultes.

DONNE 16 CARRÉS

225 g (8 oz) de biscuits à l'arrowroot,
émiettés
150 g (5 oz) de raisins secs
100 g (½ t.) de beurre

2 c. à soupe de cassonade
3. c. à soupe de cacao
4 c. à soupe de sirop de maïs
225 g (8 oz) de chocolat noir ou au lait

Mettez les miettes de biscuits et les raisins secs dans un grand bol. Dans une casserole sur feu doux, faites fondre ensemble le beurre, le sucre, le cacao et le sirop. Combinez ce mélange de beurre-sucre au mélange biscuits-raisins pour obtenir une pâte. Pressez celle-ci dans un moule carré de 20 cm (8 po) huilé et laissez refroidir. Faites fondre le chocolat au bain-marie, jusqu'à consistance très homogène, puis étendez sur la pâte de biscuits refroidie. Tracez les contours des carrés et laissez complètement refroidir avant de couper.

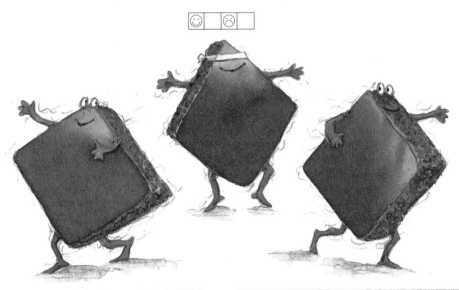

MENU À PARTIR D'UN AN

Maintenant que votre enfant est assez grand pour manger avec le reste de la famille, adaptez son régime au vôtre. Ce menu suggéré vous aidera dans votre planification.

LISTE D'INGRÉDIENTS

Beurre d'arachide
Biscuits à l'arrowroot
Céréales
Chips
Chocolat
Concentré de tomates séchées
Concentré de tomate
Confiture d'abricots
Crème
Fines herbes et épices
Flocons d'avoine
Fromage frais
Fromage
Fruits secs
Fruits et légumes frais et congelés
Gâteau roulé
Gelée à la framboise
Hachis végétarien
Haricots au four
Haricots de Lima en conserve
Haricots en conserve
Huile de sésame
Jus de fruit
Lait de coco
Lait condensé
Lasagne
Lentilles blondes en conserve
Maïs en conserve
Marmite/Vegemite
Mélasse
Miel
Noix
Œufs
Olives noires
Pain et muffins
Pâtes et riz
Sauce soja
Saucisses végétariennes
Sucre
Tofu
Tomates en conserve
Yogourt grec

	Matin	Midi	Goûter	Soir	Coucher
Jour 1	Weetabix et banane	Sauté de légumes avec riz Pudding au pain	Sandwichs aux haricots de Lima et boursin Fruit	Potage de carottes à l'orange Pain à l'ail Yogourt	Lait
Jour 2	Œuf brouillé sur toast Segments d'orange	Daube végétarienne Yogourt fruité glacé	Pailles au fromage et à la tomate Pomme	Pâtes avec sauce bolonaise végétarienne Fruit	Lait
Jour 3	Gruau avec abricots secs Toast et Marmite	Gratin de chou-fleur et pommes de terre Petits pois Croûte de fruits d'été à la noisette	Languettes de banane et beurre d'arachide Fromage frais	Haricots du Far West Hot-dogs végétariens Fruit	Lait
Jour 4	Fondue galloise «oreilles de lapin» Pêche ou poire	Curry de légumes avec banane, yogourt et riz Fruit	Sandwichs drapeaux italiens Carrés pomme-cannelle	Pommes de terre rôties Salade Fromage frais	Lait
Jour 5	Sandwich au fromage grillé Fruit	Lasagne aux champignons Salade Yogourt	Galettes de pomme de terre Purée de pommes Diplomate aux framboises	Frittata Haricots au four Fruit	Lait
Jour 6	Corn flakes Fraises Toast à la cannelle	Paella Tarte au citron de Thomas	Mini-végéburgers Fruit	Quiche aux poireaux Salade de tomates Fromage frais	Lait
Jour 7	Œuf dur avec languettes de toast et Marmite Raisins	Pudding au pain et fromage Salade de pomme et carotte râpées Yogourt	Pomme de terre au four avec ratatouille Bananes au chocolat	Soupe quatre saisons Scones au fromage Fruit	Lait

NOTE : *Dans tous les menus, les recettes présentées dans ce livre sont en caractères gras.*

INDEX